2026年度版

消防官試験

試験

早わかりブック

資格試験研究会◎編
実務教育出版

消防官 ここがイイ！

魅力が いっぱいだあ！

消防官（消防士，消防吏員などともいいます）の人気の秘密とその魅力を，現役消防官と志望者に聞いてみました！

魅力その①
◀ やりがいのある仕事!

- 地元に貢献できる！
- 災害時になくてはならない仕事！
- ズバリ人助けができる！
- 人に感謝される！
- 社会のために働ける！

消防官の仕事のやりがいは，ズバリ「人の命を救うことができること」です。燃えるビルから人を救出したり，避難勧告のなされた災害地で救助に当たることは，ほかの職業ではなかなかできることではありません。まさに，人命に直結した，必要かつ重大な任務といえます。

魅力その②
◀ 安定している!

- リストラがない
- 倒産しない
- 景気に影響されない
- 社会的信用度が高い
- 給料がイイ
- いろんな「手当」がもらえる
- 退職金が高額
- 転勤がほぼ市内に限られる

消防官が公務員であるということ，意外と忘れられがちです。危険な仕事もありますが，一方で，公務員ですから安定していることも魅力です。とにかく勤め先が突然なくなってしまうこともありませんし，いきなりボーナスが0になるということもありません。給料は同じ公務員の中でも事務系の職員より高水準となっています。

魅力その③

充実の福利厚生!

保養施設も充実

サークル活動も
盛ん

職員宿舎に
安く住める

平日に休みが
取れる

消防官は,市町村または消防組合の職員と
いうことになります。したがって身分保障
はバッチリ! 深夜や早朝に及ぶ変則勤務

が主流とはいえ,しっかり休暇も取れます
し,公務員ならではの福利厚生は充実して
います。

もっとある!
消防官の魅力

地元で就職
できる

親が
安心する

まちのエリートとして
尊敬される

結婚しても仕事を
続けられる

通勤が
ラク

モテる!

消防は日本全国に必要なもの。ですから,
一企業のように東京にしかない,大都市で
なければ働けない,ということはありませ

ん。地元で就職したいという希望もかなえ
られますし,そうするとご家族も喜ばれる
ことでしょう。

それでは,どうすれば消防官になれるのか?
さっそく本書で確認していきましょう!

3

本書の特長と使い方

PART I 消防官になるには？
早わかりガイド

試験のアウトラインがわかる！

「試験や職種の種類」「受験資格」「試験のスケジュール」「併願のしかた」
「試験の形式」「合格に必要な得点」などをQ＆A形式で説明します。

PART II どんなところが出る？
教養試験の攻略法

筆記試験の対策がわかる！

消防官試験で出題される科目それぞれについて，出題の形式，出題される範囲，学習のポイントを解説するほか，過去10年間の出題テーマを一覧表で示します。

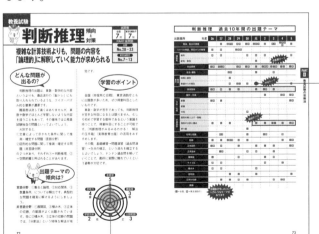

注目の出題テーマを
ピックアップ

科目ごとの特徴を図式化

4

PART III キミは解けるか？
過去問の徹底研究

どんな問題が出るのかわかる！

過去問の中から「今までよく出題され，今後も出題可能性が高い問題」をセレクトし，その問題の特徴や解き方のコツなどを，1問ずつに付けています。

**目標とすべき
解答時間**

**合格者なら
どのぐらい
正答できるか**

PART IV これで受かる？
実力判定&学習法アドバイス

今の実力と
やるべきことがわかる！

過去問の採点で，実力を測ることができます。総合得点の判定をするだけでなく，細かく得意・不得意を明らかにして，必要な学習の指針を示します。

本書の使い方

本書はどこから読んでもかまいませんが，次のような使い方があります。

① 「PART I→PART II→PART III→PART IV」の順番に，ひととおり必要な知識を確認したうえで過去問に挑むのがオーソドックスな使い方です。

② 「PART I→PART III→PART IV→PART II」の順番で，まずは過去問で自分の弱点を把握し，それを克服することを意識しながらPART IIを読み進めるという使い方も可能です。

消防官試験 早わかりブック 2026年度版

これでバッチリ！

CONTENTS

PART II
どんなところが出る？
教養試験の攻略法 ▶ 41

PART III
キミは解けるか？
過去問の徹底研究 ▶ 77

PART IV
これで受かる？
実力判定&学習法アドバイス ▶ 165

試験の概要が
つかめる！

PART I

消防官になるには？
早わかり
ガイド

はじめに，複雑で種類の多い試験制度の説明をします。
「受けるべき試験はどれか」「受験資格は満たしているか」
「併願はできるのか」「どんな内容の試験が行われるのか」を
知ることは試験対策の第一歩ですし，それらを知ることによって，
学習の無駄を省くことにもつながります。

消防官って
ハードな仕事と
聞きますが?

いろいろな
訓練が
あるよ

だれにでもできる
仕事とはいいませんが,
採用後の教育体制は
しっかりしているので
安心です!

A

□ まずは消防学校へ!

「消防」というと,火災現場で消火活動をする仕事…というのをまず思い浮かべると思いますが,だれだっていきなりそんなことをできるはずもありません。

全寮制の消防学校では
チームワークも
磨くよ

消防官になるためには,まず採用試験を受けます。それに合格し採用されたら,**約半年間,全寮制の消防学校に入校します。**そこで,消防官として必要な知識を学び,消火業務や救助業務といった実務に当たるための訓練を受けます。

□ 消防学校修了後は現場へ!

消防学校での研修を終えた後は,消防局の各職場に配属されます。数からいえば最前線である消防署での勤務が多いでしょう。そこで,消火活動,救助活動,救急活動,火災予防,指導・広報,火災原因調査などの業務に従事します。消火活動だけが消防の業務でないことは,以下の**東京消防庁の組織図**からもわかります。

□仕事も職場も固定されていない！

消防官もそのほかの公務員と同様に，**何年かおきに部署を変わる人事異動が行われています。**ですから，いくつかの消防署を渡り歩き，何年後かに消防本部での勤務が回ってきたりなど，変化があります。基本的に，採用された市町村の中での異動となります。

また，地震，噴火，ガス噴出事故等の大規模災害があれば他の市町村へ派遣されることもあります。阪神・淡路大震災や東日本大震災では多くの消防官が被災地に派遣されました。

転勤もあるよ

□レスキュー隊員にもなれる！

みがき抜かれた救助技術を持つ**レスキュー隊員（特別救助隊員）**だって消防官です。火災現場だけでなく，交通事故，自然災害など，あらゆる災害の最前線で活躍します。レスキュー隊員になるためには専門の研修や訓練を受けなければなりませんが，なんといっても本人の意志と適性がカギとなります。さらに上には大規模災害で出動する**ハイパーレスキュー隊**があります。

□外国へ行くことも⁉

大規模災害が起これば どこへでも

大規模災害に見舞われた外国に，人命救助活動のため派遣されることもあります。中国四川省の大地震のときにも日本の消防官が派遣されました。

東京消防庁の組織図

東京消防庁 消防本部	企画調整部	企画課・財務課・広報課・オリンピック・パラリンピック対策室
	総務部	総務課・経理契約課・施設課・情報通信課
	人事部	人事課・服務監察課・職員課・厚生課
	警防部	警防課・救助課・特殊災害課・総合指令室・多摩指令室
	防災部	防災安全課・震災対策課・水利課・消防団課
	救急部	救急管理課・救急医務課・救急指導課
	予防部	予防課・危険物課・査察課・調査課・防火管理課
	装備部	装備課・装備工場・航空隊
	消防学校	校務課・教養課
	消防技術安全所	消防技術課・装備安全課・危険物質検証課・活動安全課
消防方面本部（10）		指導係
		警防装備係・訓練係・防災係
		消防救助機動部隊（第二，第三，第六，第八，第九消防方面本部に配属）
消防署（81）	総務課	管理係・経理係
	警防課	防災安全係・消防係・救急係・機械装備係
	予防課	防火管理係・査察係・予防係・危険物係
		消防分署（3）
		消防出張所（208）

消防官に
なるための
方法ってなに？

消防官って
ほとんどが
市町村職員だよ

各消防本部を
管轄する自治体・
消防組合が行う
採用試験に合格すればOK！

正規職員になる道は
コレしかありません！

□「採用試験」を行うところはここ

受けたい市町村の
ウェブサイトを
チェックしてみよう

　消防官は，消防署に勤務するもの。それは皆さんご存知ですね。その**消防署は，基本的に市町村の組織**です。なかには，近隣のいくつかの市町村が共同で「消防組合」（事務組合，広域組合などと呼ばれることもあります）を組織したものや，東京都の消防業務の大部分を一手に引き受ける「**東京消防庁**」という組織もあります。つまり，消防官はまず，地方公務員であるわけです。

　ですから，採用試験情報は各自治体のウェブサイトや広報紙などで入手することができます。

　たいていの場合には，「消防組合」の採用情報も市町村のウェブサイトに掲載されたり，リンクが貼られたりしますので，まずは働きたい地域の市町村のウェブサイトを見てみてください。

□「採用試験」は必ず
##　受けなくてはならない

「消防団員」というのは，本業を別に持ちながら，自分たちのまちを自分たちで守ろうという精神のもと活動する人たちのことで，専属の消防職員（消防官）ではないんだ。

　消防官になる方法ですが，民間企業のように，履歴書と簡単な面接だけで採用が決まってしまうということはありません。「コネ」や「口利き」による**不正な採用を防止するためにも**，公平公正な「採用試験」によって行われることになっています。

　一昔前ならいざ知らず，だれかに相談すると便宜を図ってもらえたり，有利な扱いにしてもらえたり……ということはありません。「採用試験」に合格しないと，消防官にはなれないのです。

□「採用試験」は甘くない！

試験の内容については28ページを見てね！

　採用試験の大きな関門には筆記試験と面接試験がありますが，筆記試験については，民間企業に就職するときとは全然違う独特のものになっているので注意が必要です。

　基本的に，「教養試験」と呼ばれる高校時代に勉強した科目や公務員試験独特の科目を配合した試験を受け，合格することが必須です。そのほかに，少数ではありますが，大卒程度の区分では「専門試験」という，大学で勉強するような法律科目や経済科目などで構成される試験を課すところもあります。消防官の仕事は体力的にハードなものですが，体力に自信があっても**筆記試験用の対策を練っておかないと合格はできない**といってもいいくらいです。

□「救急救命士」にはどうやってなるの？

　救急救命士は**国家資格**です。救急車に同乗して救急救命の仕事に携わります。消防官になると，資格取得のための研修を受けることができ，一定時間以上の救急活動などの実績を積んだ後，国家試験を得て資格を取得できます。

Memo

「消防庁」が2つ？

　東京消防庁と似た名称に，「消防庁」というのがあります。この頭に「東京」のつかないほうは，総務省に設置されている国の機関で，いわゆる消防官を採用するところではありません。東京消防庁（東京都千代田区大手町）と区別するために「総務省消防庁」（東京都千代田区霞が関）と呼ばれたりしています。間違えないようにしましょう。

採用試験って
だれでも
受けられるの？

受験資格さえ
満たしていれば，
だれでも受けられます！

「年齢」
「身体要件」に
注意して

□「年齢」が一番のポイント

　消防官の採用試験は，**受験資格さえあればだれでも受験できる**ようになっています。この「受験資格」のうちで最も重要といえるのが「年齢」です。すべての**市町村・消防組合で受験できる年齢に制限を設けています**。

□ 30歳くらいまで
　受けられるところが多い

男女とも
受けられるよ

　試験によっても違ってくるのですが，**受験できる年齢は市町村・消防組合でバラバラ**です。
　採用試験を行っている自治体の受験可能年齢の上限を集計してみると，**おおむね30歳くらいまで受験可能**という自治体が多くなっていることがわかります。

□「身体要件」は消防官ならではの基準

　消防官試験の特質として，受験資格に「職務遂行に支障のない」とされる身体的な基準を満たさなければならないという「身体要件」が明記されている場合があります。近年，この基準は緩和の方向にあるようですが，基準の内容に

ついては，各市町村・消防組合で異なりますので，必ず自分の志望先の身体要件をチェックしておきましょう。

身体要件のない市町村・消防組合でも，二次試験の際に身体検査が実施され，「職務遂行に支障がない」かどうかを見られます。

政令指定都市消防官（士）身体基準一覧

自治体名	身長(cm以上)	体重(kg以上)	視　力	その他基準のあるもの
札幌市	なし	なし	矯正視力を含み両眼で0.7以上，かつ一眼でそれぞれ0.3以上	色覚，聴力
仙台市	なし	なし	非公表（二次試験の身体検査で測定）	色覚，聴力
さいたま市	なし	なし	非公表（二次試験の身体検査で測定）	色覚，聴力
千葉市	なし	なし	矯正視力を含み両眼で0.7以上，かつ一眼でそれぞれ0.3以上	聴力
東京消防庁	なし	なし	矯正視力を含み両眼で0.7以上，かつ一眼でそれぞれ0.3以上	色覚，聴力
横浜市	なし	なし	非公表（二次試験受験時に提出）	聴力等
川崎市	なし	なし	矯正視力を含み両眼で0.7以上，かつ一眼でそれぞれ0.3以上	色覚，聴力
相模原市	なし	なし	非公表（二次試験の身体検査で測定）	色覚
新潟市	なし	なし	矯正視力を含み両眼で0.7以上，かつ一眼でそれぞれ0.3以上	聴力
静岡市	なし	なし	矯正視力を含み両眼で0.7以上，かつ一眼でそれぞれ0.3以上	色覚，聴力，言語，精神機能および神経系統等
浜松市	なし	なし	矯正視力を含み両眼で0.7以上，かつ一眼でそれぞれ0.3以上	色覚，聴力
名古屋市	なし	なし	矯正視力が両眼で0.7以上，かつ一眼でそれぞれ0.3以上	色覚，聴力
京都市	なし	なし	矯正視力を含み両眼で0.7以上，かつ一眼でそれぞれ0.3以上	色覚，聴力
大阪市	なし	なし	矯正視力を含み両眼で0.7以上，かつ一眼でそれぞれ0.3以上	色覚
堺市	なし	なし	矯正視力を含み両眼で0.7以上，かつ一眼でそれぞれ0.3以上	色覚，聴力
神戸市	なし	なし	非公表（三次試験の身体検査で測定）	色覚
岡山市	なし	なし	非公表（三次試験の身体検査で測定）	非公表（職務に必要な健康度）
広島市	なし	なし	矯正視力を含み両眼で0.7以上，かつ一眼でそれぞれ0.3以上	聴力
北九州市	なし	なし	矯正視力を含み両眼で0.8以上，かつ一眼でそれぞれ0.5以上	色覚，聴力
福岡市	なし	なし	矯正視力を含み両眼で0.7以上，かつ一眼でそれぞれ0.3以上	色覚
熊本市	なし	なし	矯正視力を含み両眼で0.7以上，かつ一眼でそれぞれ0.3以上	色覚，聴力

※過去に実施された試験から情報をまとめたものです。変更されている場合がありますので，必ず最新の受験案内でご確認ください。

年齢条件さえ
満たしていれば
受験できるの？

自治体によって
違うから
注意してね

学歴や住所が問われる
こともありますし，
日本国籍の有無については
対応が分かれています

□ 住所による制限

　基本的には自分が住んでいる市や隣接市町村だけでなく，**どの地域の消防官採用試験でも受験できます**。もちろんお隣の都道府県の市役所を受けてもだいじょうぶです。

　ただし，「○○市に居住する者または採用後○○市内に居住可能な者」というような条件をつけている自治体もあります。

□ 学歴による制限

　試験のレベルは「大学卒業程度・短大卒業程度・高校卒業程度」などに分けられてはいますが，「大学を卒業または卒業見込みの者」というように**学歴に関して条件を設けている自治体は少なくなっています**。ですので，学歴要件のない自治体では，たとえば中卒の方が大学卒業程度の試験を受験してもかまわないということになります。

試験のレベルに
ついては18ページを
見てね

□ 資格・免許による制限

　公務員試験では職種によっては，その業務に必要な資格や免許の取得（取得見込の場合を含む）を受験の要件にしている場合があります。**消防官については，基本的に事前に資格・免許を取得している必要はありません。**

□ 国籍要件

　「公権力の行使に当たる業務」に従事するためには日本国籍が必要とされます。そのため，受験資格において日本国籍を有するかどうかが問われる場合があります。これを「国籍要件」といいますが，**消防官試験ではほぼすべての市町村・消防組合で日本国籍が必要とされています。**また，国籍要件のない堺市（大阪府）などでも，「日本国籍を有しない人については，従事できる職務に制限があります」とされていますので注意しましょう。

法律で受験できない人

　あまり該当する人はいないと思いますが，地方公務員法第16条の「欠格条項」に該当する人も受験できませんので念のため。
＊禁錮以上の刑に処せられ，その執行を終わるまで又はその執行を受けることがなくなるまでの者
＊当該地方公共団体において懲戒免職の処分を受け，当該処分の日から二年を経過しない者
＊人事委員会又は公平委員会の委員の職にあって，同法第五章に規定する罪を犯し刑に処せられた者
＊日本国憲法施行の日以後において，日本国憲法又はその下に成立した政府を暴力で破壊することを主張する政党その他の団体を結成し，又はこれに加入した者

消防官の採用試験って何種類もあるの？

1つの自治体の中でもさまざまな採用試験があります

「上級」って何？

□ 試験のレベル別に分かれている

消防官の採用試験は基本的に自治体ごとに実施され，仕事の内容や試験のレベルによって「上級・中級・初級」などと分けられています。

なお，「上級・中級・初級」と3つに分けずに「上級・初級」などと2つに分けているところも多く，なかには明確に区分せずに1つの試験で採用をしている自治体もあったり，上級の試験は行うけれどそれ以外の試験は行わないという自治体もあるので注意が必要です。

□ あくまでも「試験問題のレベル」の話

試験の名称は自治体によって異なっていて，「上級・中級・初級」「Ⅰ類・Ⅱ類・Ⅲ類」「大卒程度・短大卒程度・高卒程度」などいろいろあります。名称とレベルの関係は，およそ次のようになっています。

なお，**「大学卒業程度」の試験というのは，あくまでも試験問題のレベルが大学卒業程度ということであって，大学を卒業していないと受験できないということではありません。**

このように分かれていないこともあるよ

上級・Ⅰ類	大学卒業程度の試験。幹部候補となる職員の採用が中心
中級・Ⅱ類	短期大学卒業程度の試験
初級・Ⅲ類	高等学校卒業程度の試験

ロ「市役所上級試験」とは？

　公務員試験の業界では「一般の市役所」の「大学卒業程度」の採用試験を総称して「市役所上級試験」といっています。したがって，**市役所の大学卒業程度の消防官試験も大きく見ればこの「市役所上級試験」に含めることができます**。町村試験の多くも，市役所試験と共通の日程および試験内容で採用試験を行っているので，市役所上級試験の対策が有効となります。

　では，「一般の市役所」ではないものは何かというと，政令指定都市のことです。**政令指定都市の採用試験は，その試験日程や出題内容の共通性から地方上級試験（都道府県庁職員などの採用試験）に含まれます。**

　政令指定都市は，札幌市，仙台市，さいたま市，千葉市，横浜市，川崎市，相模原市，新潟市，静岡市，浜松市，名古屋市，京都市，大阪市，堺市，神戸市，岡山市，広島市，北九州市，福岡市，熊本市の20市です（令和6年度現在）。

ロ「試験区分」とか「職種」って何のこと？

　公務員試験では，「職種」や「試験区分」と行った言葉がよく使われます。**職種とは，採用後に従事する仕事のおおまかな種別のことです**。大きく「事務系職種」「技術系職種」「資格・免許系職種」「技能系・現業系職種」「公安系職種」に分けられます。

　この職種に応じて採用試験の内容も違ってくるわけなのですが，**職種を試験の枠組みに従って分類したものが「試験区分」と呼ばれるものです。**

　消防官は公安系職種といわれ，試験区分の名称では，「消防官」「消防士」「消防職」「消防吏員」などが使われています。

職種と試験区分の名称（市役所試験の例）

職種	試験区分の名称
事務系職種	行政，事務，行政事務，一般行政，一般事務，事務職など
技術系職種	土木，建築，電気，機械，農業，水産，化学，造園など
資格・免許系職種	看護師，薬剤師，臨床検査技師，栄養士，保育士など
公安系職種	消防官，消防士，消防職，消防吏員など
技能系・現業系職種	学校校務員，運転手，清掃作業員など

採用試験は
いつ行われるの？

基本的に市町村・消防組合ごとに年１回行われています

バラバラとは いいつつも

□ 試験の日程は要注意！

　消防官は，市町村，消防組合，そして東京消防庁といったところが，各自で採用試験を行いますから，試験日程はバラバラです。しかし，バラバラといっても**何日かの統一試験日**があって，同一都道府県内の市役所は同日実施という場合が多いので注意が必要です。この試験日程は，試験問題の出題タイプに影響するので重要です。

　　市町村，消防組合 ─┬─ **市役所Ａ日程**の日程・出題タイプで実施
　　　　　　　　　　　├─ **市役所Ｂ日程**の日程・出題タイプで実施
　　　　　　　　　　　├─ **市役所Ｃ日程**の日程・出題タイプで実施
　　　　　　　　　　　┊┉ **地方上級全国型**（政令指定都市のみあてはまる）
　　　　　　　　　　　　　の日程・出題タイプで実施。
　　　　　　　　　　　┊┉ その他（まれに上記以外の日程で行うところもある）

　　東京消防庁 ──── 日程・出題タイプともに独自タイプで実施（年に複数回実施）

ロ市役所は大きく3つのグループに分けられる

　市役所試験の一次試験の実施日によっておおまかにA日程（6月下旬実施），B日程（7月下旬実施），C日程（9月中旬実施）に分けることができます。政令指定都市はA日程と同日，東京消防庁はどの日程にも属さない独自の日程で行っています。

　右のグラフは消防官試験の一次試験日を調べたものですが，**半数以上がC日程**で，A日程，B日程はそれよりぐっと少なくなっています。

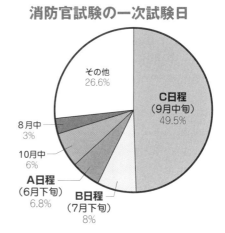

消防官試験の一次試験日

その他
26.6%

C日程
（9月中旬）
49.5%

8月中
3%

10月中
6%

A日程
（6月下旬）
6.8%

B日程
（7月下旬）
8%

ロ「採用試験」が実施されないことも!?

　すべての市町村・消防組合で毎年採用試験が行われているかというと，そうではありません。なかには消防官の採用を休止するところもあります。

　また，採用試験は年1回というのが基本ですが，**臨時募集を行っている自治体もあります。**

　ご自分が志望している市町村・消防組合がどういう状況なのか，事前に確かめておいてくださいね。

　なお，**全国的に見れば消防官の採用予定数は安定傾向にあります**から，自分で志望先を狭めないならチャンスは広がります。

23ページを
見てね！

どんな スケジュールで 行われるの？

抜け道は ないよ

一次試験，二次試験 といったプロセスを経て 採用内定が出されます

ロ 採用試験のスケジュール

採用試験のおおまかなスケジュール

	A日程（政令指定都市も）	B日程	C日程	東京消防庁（1回目）	東京消防庁（2回目）
受験案内配布開始	4月下旬頃	5月中旬頃	7月中旬頃	2月中旬	2月中旬
申込締切日	5月上旬〜6月上旬	5月下旬〜6月下旬	7月中旬〜9月上旬	3月中旬〜4月上旬	8月上旬〜8月中旬
一次試験日	6月下旬	7月上〜中旬	9月中旬	5月中旬	9月下旬

　一般的には上の表のように進んでいきます。

　まずは，市役所や支所・出張所などで**受験案内（募集要項）**を入手して，受験の申込をすることになります。申込をすると，一次試験の前に受験票が送られてきます。

　一次試験は日曜日か祝日に行われており，たいてい1日で終わります。午前中に教養試験を行い，午後に論文試験，適性検査，体力検査などを行うのが一般的です。試験会場は，その自治体内にある高校や中学校，市役所内の会議室，市民センターや公民館などの施設を使うところが多いです。一次試験の合格発表は，一次試験から2〜3週間後に行われます。掲示板および自治体のウェブサイトに合格者の受験

試験内容については28ページを見てね 受験申込については26ページを見てね

番号が掲示されますが，合格者には郵便で合格通知が届き，その中に二次試験の要項が入っています。

　一次合格発表から1週間ないし半月くらいの期間内に**二次試験**が行われます。二次試験は平日も行われることがあり，1日では終わらずに複数日に及ぶ場合もあります。結果は，掲示板および自治体のウェブサイトに合格者の受験番号が掲示されるほか，二次試験の受験者全員に郵便で結果が通知されます。

　なお，まれに**三次試験・四次試験**を行うところもあります。

試験採用のプロセス

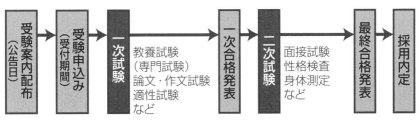

受験案内配布（公告日）→ 受験申込み（受付期間）→ 一次試験（教養試験（専門試験）論文・作文試験 適性試験 など）→ 一次合格発表 → 二次試験（面接試験 性格検査 身体測定 など）→ 最終合格発表 → 採用内定

採用予定数は高め安定！

消防官の採用予定数の推移（推計）

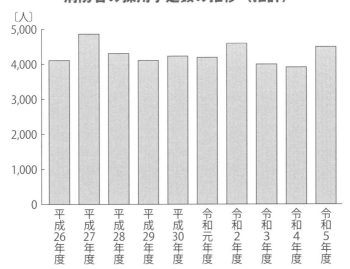

〔人〕

年度	採用予定数
平成26年度	4,100
平成27年度	4,850
平成28年度	4,300
平成29年度	4,100
平成30年度	4,250
令和元年度	4,200
令和2年度	4,600
令和3年度	4,000
令和4年度	3,950
令和5年度	4,500

併願受験はしてもいいの？

試験日さえ重ならなければ，自由に受けられます！

たくさん受けられる！

□ 消防官どうしの併願もできる！

どうしても消防官になりたいので，自分の住んでいる自治体以外の消防官試験を受けたいという人も多いことでしょう。同じ試験日の試験を同時に受験することはできませんが，**試験日が違えば併願も可能**です。市役所どうし，市役所と町役場，市役所と東京消防庁などの併願パターンが考えられます。また，数は少ないですが，年に複数回採用試験を行う自治体もあり，その場合は同じ自治体をまた受験してもかまいません。

□ 公務員試験では併願するのが一般的

消防官もその他の公務員試験と同様で，併願率は高くなっています。逆に**併願せずに志望先を1つに絞って受けている人のほうが少数派**です。

先輩たちの例を見ると，消防官の受験者は，東京消防庁（5月下旬），政令指定都市か市役所のA日程（同6月下旬），市役所のC日程（9月中旬）といったように併願している人が多いようです。ただし，**市役所のA日程は政令指定都市（地方上級）と一次試験日が同じであるため，同時には受けられないので注意が必要です。また，警察官や海上保安庁などの同じく公安系職種の試験と併願するパターンも見られます。以下には，主要な公務員試験の一次試験日をまとめましたので，参考にしてください。

もちろん民間企業との併願も可能です。しかし，大学4年生の就職活動では，消防官の採用試験が始まる頃には民間企業の採用活動は終わってしまっているところが多いので，「消防官がダメだったら民間企業を受けよう」というのは難しいかもしれません。

主な試験の一次試験日（令和6年度）

日付	試験	備考
3月9日	参議院事務局総合職	大卒程度の試験（上級試験）は3月下旬～7月にかけてが第1次試験のピークです。
3月10日	衆議院法制局総合職	
3月17日	**国家総合職**	ここ数年は**就職氷河期世代**を対象とした試験も各所で実施されています。
3月20日	参議院法制局総合職	
3月23日	衆議院事務局総合職	
3月24日	国会図書館総合職／国会図書館一般職[大卒]	
4月13日	警視庁警察官（第1回）Ⅰ類	「Ⅰ類」「上級」は大卒程度「Ⅱ類」「中級」は短大卒程度「Ⅲ類」「初級」は高卒程度の採用区分です。
4月21日	**東京都Ⅰ類B／特別区Ⅰ類／** 警視庁警察行政職員Ⅰ類／東京消防庁職員Ⅰ類	
5月11日	裁判所総合職／裁判所一般職[大卒]	警察官・消防官などの地方公務員試験では1年に複数回の採用試験を行うところもあります。
5月12日	**警察官**（大卒程度5月型）／警察官（高卒程度5月型） 東京都Ⅰ類A／北海道A区分行政系（第1回） 東京消防庁消防官Ⅰ類(1回目)／海上保安学校(特別)	
5月25日	衆議院事務局一般職[大卒]	国税専門官や財務専門官などの試験区分は総称して**「国家専門職」**と呼ばれます。
5月26日	皇宮護衛官[大卒]／法務省専門職員／財務専門官／ 国税専門官／食品衛生監視員／労働基準監督官／ 航空管制官／海上保安官／防衛省専門職員	
6月1・2日	外務省専門職員	都道府県・政令指定都市の大卒程度の採用試験は**「地方上級」**と呼ばれます。
6月2日	**国家一般職**[大卒]	
6月16日	**地方上級**（府県・政令指定都市）／**市役所上級**（A日程）	
7月7日	国立大学法人等職員	国立大学法人等職員は「公務員」ではないが、公務員に準ずる職種として人気があります。
7月14日	**市役所上級**（B日程）／**警察官**（大卒程度7月型）	
8月17日	参議院事務局一般職[高卒]／参議院事務局衛視	
8月24日	衆議院事務局一般職[高卒]／衆議院事務局衛視	
9月1日	**国家一般職**[高卒]／国家一般職[社会人]／税務職員	高卒程度の試験（初級試験）は8～10月にかけてが第1次試験のピークです。
9月8日	裁判所一般職[高卒]／東京都Ⅲ類／特別区Ⅲ類／ 警視庁警察行政職員Ⅲ類／東京消防庁職員Ⅲ類	
9月14日	警視庁警察官（第2回）Ⅲ類	市役所（市町村）の採用試験は主に3パターンの日程がありますが、9月のC日程に属する市が最も多いです。
9月15日	東京消防庁消防官Ⅰ類(第2回)／東京消防庁消防官Ⅲ類／刑務官※	
9月22日	**市役所上級**（C日程）／**市役所初級**／ 警察官(大卒程度9月型)／**警察官**（高卒程度9月型）／ 皇宮護衛官[高卒]／入国警備官※／航空保安大学校／海上保安学校	
9月29日	地方中級（9月タイプ）／国家総合職(教養)／**地方初級**（道府県・政令指定都市）	
10月20日	警察官（高卒程度10月型）	消防官（消防士）の試験は事務系の市役所試験と同じ日程のところも多いです。
10月26・27日	海上保安大学校／気象大学校	
1月12日	警視庁警察官（第3回）Ⅰ類／警視庁警察官（第3回）Ⅲ類	

太字は特に受験者の多い採用試験、**青字**は高校卒業程度の採用試験、※はほかに社会人採用区分がある試験を示しています（地方自治体の早期試験や秋試験、就職氷河期世代試験など募集や日程が毎年変則的な試験、募集が技術系・資格免許職のみの試験は除外しています）。また、都道府県等の名称を掲載したのは独自日程のところのみで、掲載がないところについては基本的に各統一試験日に実施されています。

Memo

併願していることは隠したほうがいい？

　面接試験などの際に、どこを併願しているかを聞かれることがありますが、併願先は正直に答えて問題ありません。面接官も併願していることは百も承知ですから、逆に「ココしか受けていません！」と言うとうそをついていると思われかねません。

申込み手続きで
注意すべき点は？

絶対に期限を守ること！必要書類に不備がないかも要チェック！

最初も
カンジン

ロ受験申込のスケジュール

受験案内は市役所や
消防署などに行けば
もらえるよ

　まずは受験案内（募集要項）を入手しましょう。その中に申込用紙が挟み込まれているので，それを使って受験の申込みをすることになります。また，自治体のウェブサイトから申込用紙をダウンロードして，それをプリントアウトするという方法もあります。

　受験の申込みは締切日までに済ませておく必要があります。A〜C日程の一般的なスケジュールは22ページのようになっています。なお，なかには受験案内配布から申込締切までの日数があまりなかったり，申込受付期間が極端に短いところもあるので，注意が必要です。

ロ申込用紙の記入や準備

受験料は
かからないよ

　受験案内に記入のしかたが書かれているので，それを見て漏れなく必要事項を記入します。インターネットでダウンロードする場合には，申込用紙だけでなく受験案内もダウンロードして，プリントアウトしたものを確認したほうがミスが防げます。

　申込みの時点では顔写真が不要であっても，一次試験の当日は受験票に顔写真を貼っていなければ受験できません。試験直前になると学習の追い込みなどで慌ただしくなります。申込の段階で顔写真を用意しておく

べきです。

　また，なかには**申込用紙に「志望動機」を書かせたり，エントリーシートの提出を求める自治体もある**ので，なぜ消防官をめざすのか，どんな仕事がしたいかということは，事前に考えておきたいものです。

□ 申込用紙の提出

　ほかの公務員試験では郵送申込が一般的ですが，**市役所試験の場合は，申込用紙を受験する市役所に直接持参しなければいけないところもあります。申込時に面接を行う自治体もある**ので要注意です。

　また，申込用紙を郵送する場合は，必ず簡易書留郵便・特定記録郵便にします。郵便局の営業時間に間に合わなければなりません。また，封筒の表に受験を希望する試験名を赤字で書くことも忘れないように。

受験案内の見本

ロインターネットでの申込み

　最近はインターネットで申込みができる自治体も増えてきています。

　市役所上級試験の場合，令和4年度ではおよそ250市でインターネットでの申込みが可能となっています。なかには，**ネットでの申込みのみ受け付けるという自治体もある**ので注意しましょう。

　ただ，ネットでの申込みは，パソコンやネットワーク上のトラブルがあったり，早く締め切られてしまう場合も多いので，早めの対応が肝心です。

試験の中身は
どういうものなの？

教養試験，論文試験（作文試験），適性検査，体力検査・身体検査，面接試験などが課されます

いろいろな種類がある

□ 試験種目はいろいろある！

消防官試験では，「教養試験」「論文試験（作文試験）」「体力検査」「適性検査」「面接試験」といったいろいろな試験が行われます。

なかには，数は少ないのですが，政令指定都市の大学卒業程度試験の一部などに「専門試験」を課す自治体もあります。専門試験の課される自治体を受験する場合には，地方上級用の対策をしてください。

専門試験のない大多数の消防官試験では，まず重要なのは**教養試験**です。これらは一次試験の際に行われ，ここで成績上位に入らなければ二次試験に進めませんし，なんの対策もせずにスラスラ答えられるような，生やさしい内容ではないからです。

教養試験についてはPARTⅡで詳しく説明しますので，まずは試験種目をひととおり紹介しておきます。

□ 教養試験

・5つの選択肢から1つを選ぶ形式（五肢択一式）です。
・すべての自治体で実施されます。
・一次試験で実施されます。

出題される科目など，詳しくはPARTⅡを見てね

- ・一定以上の得点がないと二次試験に進めません。
- ・試験時間120分，解答数40〜45問という形が一般的です。ただし，政令指定都市の場合は，試験時間150分，解答数50問という形が見られます。

教養試験の問題例

> 選挙制度に関する次の記述のうち，妥当なものはどれか。
>
> 1　比例代表制は，政党の得票率に応じて議席が配分される制度であり，候補者が少ない小政党よりも大政党のほうが有利である。
>
> 2　イギリスやアメリカは比例代表制，ドイツは小選挙区制を採用している。
>
> 3　小選挙区制は，選挙区が小さくなるため選挙費用が抑えられるメリットがある一方，死票が多くなるというデメリットがある。
>
> 4　小選挙区比例代表並立制を採用しているわが国の衆議院議員選挙では，小選挙区と比例区での重複立候補は禁止されている。
>
> 5　わが国の衆議院議員選挙は，1994年に中選挙区比例代表並立制から小選挙区制に改められた。

※上記とは出題タイプの異なる「**職務基礎力試験（BEST）**」（60問，60分，四肢択一式）を導入する市役所もあります。この場合は，『職務基礎力試験BEST早わかり予想問題集』（実務教育出版）を参照してください。

□ 論 文 試 験 （ 作 文 試 験 ）

- ・社会問題などの一般的な課題について論述するものです。
- ・**ほとんどの自治体で実施されています。**
- ・二次試験で実施されることが多いです。
- ・一次試験で実施しても採点は二次試験扱いのことが多く，その場合，教養試験の得点で二次試験に進めなければ読まれることはありません。
- ・試験時間60〜120分，字数は800〜1200字程度という形が一般的です。

論文試験の問題例

> 「安心して暮らせる災害に強いまちづくりを推進するために，消防はどのような役割を果たすべきか，あなたの考えを論じなさい」（令和元年度・仙台市）
> 「都市における国際化の進展が社会に及ぼす影響を挙げ，それに対する消防行政の取組みについて，あなたの考えを述べなさい」（26年度・東京消防庁）
> 「最近5年間で，他者との関わりの中で自分が成長できたと思えることと，それを活かして，現在取り組んでいること」（600字以内）（令和元年度・京都市）

試験種目は自治体ごとに違うから，ちゃんと確認しておいてね！

□ 適性検査（性格検査）

- 内容はいわゆる性格検査で，対策は特に必要ありません。
- 半数程度の自治体で実施されています。
- クレペリン検査（1ケタの数字を足していくもの）やYG式性格検査（質問項目に「はい」「いいえ」「わからない」で答えていくもの）が一般的です。
- **「消防適性」**と呼ばれる検査もあります。

消防適性検査の問題例

消防官の試験では，「消防適性」と呼ばれる検査を実施する場合がある。受験案内では，「消防適性検査」と明記していることもあれば，単に「適性検査」としている場合もある。また，下記の消防適性AとBの両方を実施する場合もあれば，どちらか一方のみ実施する場合もある。

消防適性検査は，次の2種類からなる。

①消防適性A…消防職員としての適応性を，性格的な面から見るもの。（20分・100問）

②消防適性B…消防職員としての適応性を，機器運用技能の面から見るもの。（15分90問）

受験者からの情報等によると，具体的には次のような内容の検査となっている。

①消防適性Aは，「登山が好きだ」「落ち込みやすい性格だ」というような簡単な質問項目に対し，「すき，？，きらい」「はい，？，いいえ」で答えるものである。したがって，事前の対策は必要ない。ただし，近年ではCDなどで質問項目を流し，回答はマークシートにするという形式になってきているようなので，その場合は質問を聞き逃さないよう集中する必要がある。

②消防適性Bは，3種類の検査からなり，各30問が出題され，それぞれ5分間で解答する。以下に例を挙げる。

【検査1】 小立方体を積み重ねた立体が2つ示され，2つの立体の小立方体の個数の差を答える。

〔問題例〕

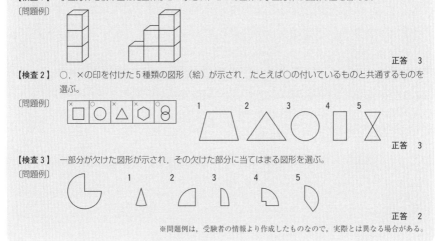

正答　3

【検査2】 ○，×の印を付けた5種類の図形（絵）が示され，たとえば○の付いているものと共通するものを選ぶ。

〔問題例〕

正答　3

【検査3】 一部分が欠けた図形が示され，その欠けた部分に当てはまる図形を選ぶ。

〔問題例〕

正答　2

※問題例は，受験者の情報より作成したものなので，実際とは異なる場合がある。

□ 体力検査・身体検査

- 一次試験で実施される場合でも，一次の教養試験の成績によって受験対象者が決定されることが多いです。
- 体力検査は，上体起こし，握力，長座体前屈，反復横とび，立ち幅とび，

20mシャトルランか1,500m走（女性は1,000m走）など。
・身体検査では，職務遂行に必要とされる身体基準をチェックされます（15ページ参照）。

ロ 面 接 試 験

・受験者が1人で臨む**個別面接**のほか，受験者数人で一緒に面接を行う**集団面接**や，受験者数人でディスカッションを行う**集団討論**を実施している自治体もあります。また，数は少ないですが「**プレゼンテーション**」という形式の面接を行うところもあります。
・**ほとんどの自治体では二次試験や三次試験で実施されますが，なかには受験申込時に簡単な面談を行うところもあります。**
・**最終的に合格するためにはこの面接試験がカギになります。**教養試験を最優先しつつも，自己分析や自治体研究なども進めておきたいところです。

政令指定都市等・消防官試験の概要（大学卒業程度）

自治体名	年齢上限	一次試験日	教養 時間	教養 題数	専門 時間	専門 題数	論(作)文	時間	字数	適性検査	個別面接	体力検査	身体検査	その他
札　幌　市	29	6/16	90	30	—	—					②	②	②	
仙　台　市	29	6/16	120	40	—	—	②	120	1,200	②	②	②	②	①集団面接
さいたま市	30	6/16	120	40/50	—	—	②	60	1,000	②	②	①	②	②集団面接
千　葉　市	28	6/16	150	45/55	—	—	②	60	800	②	②	①	②	②自己PR論文
東京消防庁	29	5/14	120	45	—	—	①	90	800~1,200	①	②	②	②	※一般方式の内容
横　浜　市	30	6/16	120	40	—	—	②	60	1,000	②	②	②	②	※一般方式の内容
川　崎　市	29	6/16	120	40	—	—	②	80	1,000~1,200	②	②	①	②	
相　模　原　市	26	6/16	90	30	—	—	—	60	700	①	①②	②	②	①面接カード
新　潟　市	28	6/16	120	40	—	—	①		1,200	②	②	②	②	②消防適性検査
静　岡　市	28	6/16	150	55	—	—	—	—	—	②	②	①	②	①グループワーク
浜　松　市	28	6/16	120	SPI	—	—	②	60	不明	①	①②	②	②	
名　古　屋　市	30	6/16	150	50	—	—	②	60	不明	—	②	②	②	②個別面接（2回）
京　都　市	29	6/16	90	30	—	—	①	40	600	②	②	②	②	
大　阪　市	27	6/16	130	40/45	—	—	①	60	不明	②	②	①	②	②面接カード
堺　市	28	5/26	70	70	—	—	②	60	800	②	②	②	②	①SPI3
神　戸　市	29	6/16	150	40/45	—	—	③	不明	不明	①	②③	②	②	②グループワーク
岡　山　市	26	6/16	不明	不明	—	—	①	不明	不明	②	②	②	③	②適性試験
広　島　市	28	6/16	150	45/55	120	40	②	60	1,000		②③	③	②③	③集団討論
北　九　州　市	30	6/16	150	50	—	—	①	60	800	②	①②	②	②	
福　岡　市	29	6/16	150	50	—	—	②	75	1,000		②	②	②	
熊　本　市	30	6/16	150	不明	—	—	②	90	不明	①	②	①	②	①語学資格加点 ②個別面接（2回）

・表中の各記号の意味は次のとおり。①~③：それぞれ一~三次試験で実施（　　　　　は，教養試験の成績により受験対象者が決定する試験）。年齢上限：受験資格の年齢上限。令和7年4月1日現在の年齢。時間の項目：~分。題数の項目：分数は選択解答制を示す（例：45/55問は55問中45問選択）。—は実施なし。空欄は実施があるが詳細不明
※試験日程については，受験案内に記載されている当初の日程を転載しています。

だいたい
何点取れれば
合格できるの？

おおよそ
6〜7割得点できれば
だいじょうぶでしょう

満点は
いらないよ

□ 6 〜 7 割得点できれば
一次試験はほぼ合格できる

　択一式の教養試験で何点取れば合格できるかということは，受験者の多くが気になるところでしょう。でも，確固とした合格最低点（合格に必要な一番低い点）というものは存在しません。試験問題そのもののレベルや受験者全体のレベル，募集人数・受験者数などが毎年変わるので，合格最低点も毎年上下動しているからです。

　とはいえ，それではサッパリわかりませんよね…。はっきりしたことはいえませんが，受験した先輩たちの自己採点をもとに類推すると，教養試験では満点の6〜7割得点できれば，一次試験はほぼ合格できるというのが一つの目安になっています。

□「基準点」には要注意！

　なお，「教養試験は苦手だから，そのぶん他の試験科目で満点をめざす」という人もいると思います。もちろん，満点をめざすのはよいことなのですが，それで教養試験の成績をカバーしきれる保証はまったくありません。さらに，注意していただきたいのは，各試験種目には「基準点」があって，どれか一つでもその「基準点」を満たさないと，ほかの試験でどんなに高得点を取っても

不合格となってしまうのです。

　基準点は，満点の**3〜4割程度**とするところが多く，教養試験だけでなく，論文試験にも設けられています。

□ 配点は，面接重視の傾向が

面接試験については，『現職人事が書いた「面接試験・官庁訪問」の本』が詳しいよ

　市役所上級試験では複数の試験種目が課されているわけですが，その配点はどうなっているでしょう。**教養試験の配点を1とすると，論文試験が0.5〜1程度**というのが一般的です。

　最近では面接の重要性が高まっています。教養試験の配点を1としたときに従来は1〜2程度だったものを，3〜6程度にまでウエートを高める自治体が増えてきています。

　面接試験は，何も対策せずにその場に臨んでしまうと，言いたいことも言えずに終わってしまうことが多いです。「聞かれたことに答えればいいんでしょ？」などと甘く考えずに，しっかりと対策を練っておく必要があります。

□ 筆記で上位に入ると有利？

　当然高い点数を取るに越したことはありません。しかしながら，実際の配点は面接のウエートが高い自治体が多いので，**いくら教養試験・論文試験などの筆記試験の点数がよくても，面接で逆転されてしまう可能性はあります**。

　また，一次試験の筆記の点数は一次合格の判断材料にしか使わず，二次試験受験者はまた同じスタートラインから競わせる自治体も増えています。

　だからといって筆記試験対策の必要がないわけではありません。まずは一次試験に合格しなくては，なんにもならないわけですから。

Memo

最 終 合 格 ＝ 採 用 で は な い ？

　公務員試験では，採用内定までの流れは「最終合格→採用候補者名簿に載る→採用面接→採用内定」となっていて，「最終合格＝採用」ではありません。最終合格者は採用候補者として名簿に載るものの，採用が100％保証されるわけではないということです。

　ただし消防官試験の場合，これは建前。よほどのことがない限り，最終合格すれば内定は出ます。

Q みんなどうやって勉強してるの？

A 独学，通信講座，予備校・大学の講座やセミナーなど。それぞれの長所と短所と見極めて！

いろいろあります！

□ 学習ツールを考える

具体的に教養試験の学習を進めていくとして，どういう方法を取ればいいのかは，悩ましいところでしょう。

学習のツールとしては，大きく分けると，書籍を使った独学，通信講座，予備校・大学の講座やセミナーなどがあります。

合格者はこのうちのどれか一つに絞る！というやり方ではなく，**これらをミックスしてうまく使いこなしている人が多い**ようです。たとえば，独学を基本にしつつも苦手な科目は大学セミナーを利用したりとか，通信講座や予備校を軸にして不足しているところを市販の書籍で補ったりしているようです。

それでは，学習ツールごとに長所と短所を確認しておきましょう。

□ 書籍で独学…安くつくが疑問が あっても自己解決が基本

市販の書籍を使いながら，独自に勉強していく方法です。公務員試験用の問題集や基本書は数多く刊行されているので，自分のスタイルに合ったものを選んで，都合のいい時間に自分のペースで学習を進められます。また，**費用的に見ても最も安く済む**というのが利点でしょう。

　難点なのは「すべて自分でやらなくてはいけない」ということです。独学だと，学習の途中で疑問に思うことがあっても，だれにも頼れません。また，市販の書籍では，刊行時期によっては情報が古くなっている場合があります。法改正などの最新情報についても自分で調べなくてはなりませんから，とにかく手間も労力もかかります。

オススメ本は合格した先輩に聞くのが一番！ネットの情報も頼りになるけど鵜呑（うの）みにしないでね

□ 通信講座…必要なものがまとまっていて 使いやすいが途中で挫折しがち

　公務員試験対策に必要な教材がまとめて手に入るので，**何から手を着けたらいいのかわからない人にとっては便利です**。自分の都合のいい時間に自分のペースで進めていけるうえに，疑問に思うことが出てきた場合でも質問回答のシステムを利用できますし，法改正や制度改正などの最新情報についてもフォローしてくれるので安心できます。**独学より確実で予備校などに通うよりは手軽**で，費用的にも５〜８万円程度と，独学と予備校の中間的な位置づけになります。

　通信講座の難点は，ある程度はその講座の勉強法に合わせないといけない点です。自分の好みに合うか合わないかに関係なく大量の教材が届くので，途中で挫折してしまう人も少なくありません。ムダにしないためには，毎月の達成目標をきちんと定めて**計画的にコツコツこなしていく忍耐力が必要**でしょう。

□ 予備校・大学の講座やセミナー…任せて おけば安心できるがその分高くつく

　独学や通信講座ではだらけてしまうような人でも，とにかく**学校に行きさえすれば否応なく勉強することになる**というメリットは大きいでしょう。また，学習中の疑問にも講師がすぐに答えてくれますし，法改正や制度改正などの最新情報についてもしっかりとフォローしてくれます。一人で孤独に勉強するのが苦手な人にとっては，一緒に学び合う仲間が作れるというメリットもあるでしょう。

　問題となるのは費用が高くつく点です。**予備校の受講料は単発の講座でも数万円はしますし，半年間程度通う場合になると数十万円という額になるのが普通**です。また，担当している講師の質に左右されるところも大きいので，何から何までゆだねてしまうと危険ということもあります。

　大学の就職課（キャリアセンター）や生協などが主催する講座は，外部の予備校よりは安いことが多いようです。自分が通う大学でそうした講座が開講されているなら，活用してみるのも一手です。

勉強のコツは?
みんなどのくらい
勉強してるの?

メリハリ
重要

満点をめざさず,
勉強するテーマを
絞りましょう!
論文試験,体力検査も
大切です!

□ 細かいところは気にしない!

　教養試験ではだいたい6〜7割できればいいといわれます。ということは,3〜4割は間違ってもいいということでもあるわけです。

　満点をめざしても,苦労の割には報われません。ですから,満点を取るのは無理!とあきらめましょう。

　択一式の問題は,「正答が1つに絞れればいいだけ」です。たとえすべてを知らなくても,一部分を知っているだけで間違いの選択肢だとわかることも多いですし,消去法を使えば正答が導けることも多いのです。

　あまり細かいところにこだわると学習が進まないので,「誤りの選択肢を見抜けるだけの知識があればいいんだ」「完璧にマスターしなくてもいいんだ」という意識で学習に臨んでください。

□よく出ているところに絞って！

　教養試験は，出題範囲が非常に広い割には1科目当たりの出題数は少なく，科目によっては毎年出題されないものもあります。ですから，**効率よく学習する方法を考えないと，絶対に追いつきません。**

　詳しくはPART IIでお話ししますが，まずはどの科目が何問くらい出ているのか，どういう問題が出ているのか，よく出題されるテーマはなんなのかというところを把握するところから始めましょう。そして，定評のある本や教材を選んで，**重要な科目にウエートを置き，頻出テーマを中心に学習していきましょう。**それが効率よく点数が取れるようになるコツです。

□6か月は準備にあてたい

　「どのくらい勉強すれば受かるの？」「みんなどのくらい勉強してるの？」というところも気になるとは思いますが，個人個人で基礎学力には差があるので，なんともいえないところです。

　これまでの合格者の声を聞くと，**学習期間が5〜6か月**という層が最も多くなっています。

　もちろん，その密度も重要です。1日の学習時間は合格者で3〜4時間という声を聞きますが，あまり多く取れない人は長期間にわたる計画を立てなければならないでしょうし，短期間でなんとかしたい人は1日の学習時間とその密度を上げていかなくてはなりません。

　ただ，計画には乱れがつきものです。そんなときに挽回できるよう，なるべく早めに取りかかり，週に1日休息日を設けるペースで進めるのがよいでしょう。

　すなわち，本書を手に取ったその日から計画を開始してください。消防官の仕事は体力勝負の面が大きいものです。短期間で勉強しようといきなり無理して身体を壊してしまうと本末転倒ですよ。

もっと知りたい！消防官試験のこと

まだまだ！

　ここまで消防官のことについて説明してきましたが，まだまだ知りたいこと，疑問に思うことは多いと思います。
　それでは，これまで書き切れなかったところについて，簡単にご説明しましょう！

Q 勉強が苦手です！試験に受かるでしょうか？

A 満点をめざさなくていいんです

　32ページでも説明したように，教養試験は満点ではなく6～7割取れれば合格ラインに食い込めます。本書のPARTⅡでは出やすいテーマを，PARTⅢでは実際の解き方のコツをまとめていますのでぜひ活用してください。あとは，論文試験や面接試験でやる気をアピールし，体力試験で実力を発揮しましょう。
　自治体によっては論文試験のウエートを高めているところもあります。また，受験者から「体力検査は意外とハードで，なかにはついていけない人もいた」という声を聞くこともあります。勉強だけでなく，体力作りにも気を配っておきましょう。
　また，試験というものは，慣れてくると合格率が上がったりするものです。併願もしっかり考えてみましょう。

女性には無理でしょうか？ Q

A 女性の消防官も徐々に増えています

　もちろん女性も受験できますし，数は少ないながらも実際に合格者もいます。国内最大規模の消防組織である東京消防庁には約700名ほどの女性消防官の方が活躍されているそうです。
　ただし，男性でもハードな仕事ですから，女性も肉体面・精神面ともにタフであることが望まれるでしょう。

変則勤務って聞きますがどんなものですか？

Ⓐ 丸一日勤務して2日休みなどメリハリがあります

火事や救急は時間を選んでくれないものです。ですから，消防官の仕事は一部を除いて「交替制勤務」です。昼夜逆転した生活が続くのではと不安に思われるかもしれませんが，当番日が明ければ休日といったサイクルでシフトが組まれますし，当番日にも仮眠が取れますので，身体を休めたりリフレッシュしたりすることができます。

交代制勤務の例（北九州市）

日	1	2	3	4	5	6	7	8	9	10	11	12	13	14	15	16	17	18	19	20	21
交代制勤務	当務	非番	週休	当務	非番	日勤	週休	週休	当務	非番	週休	当務	非番	当務	非番	週休	当務	非番	週休	当務	非番

当務日：午前8時45分から翌日午前9時まで（実働15時間30分，休憩8時間45分）
日勤日：午前8時30分から午後5時15分まで（実働7時間45分，休憩60分）

Ⓠ 給料っていくらくらいもらえるの？

Ⓐ 消防官の場合，一般の事務職より高くなっています

給与は自治体や地域ごとに違っていますし，人によっても年齢・学歴・職歴・資格の有無などで違ってきますが，一般に消防官の初任給は事務系職員よりも高くなっています。

採用年度の給与の例（令和6年度・東京消防庁）

	消防官Ⅰ類	消防官Ⅲ類	東京都Ⅰ類B事務（参考）
給与	約269,500円	約232,000円	約235,400円

※1　給与には地域手当を含む。
※2　上記のほか，扶養手当，住居手当，通勤手当等が条件に応じて加算される。
※3　大学院修了者および採用前に職歴を有する人は，一定の基準により加算される場合がある。
※4　東京都Ⅰ類Bとは，大学卒業程度の試験である。

Q 体力検査って何をどのくらいできればいいですか?

A できるにこしたことはありませんが

体力検査の項目は，市町村・消防組合によって違います。一般に，上体起こし（腹筋），握力，長座体前屈，反復横とび，立ち幅とび，20mシャトルランか1,500m走（女性は1,000m走）という項目が多いようです。「思いのほかハードだった」という受験者の声も聞きます。

消防の仕事はハードですし，採用後最初に入校する消防学校での研修でも鍛えられます。要は，それらの研修や仕事についてこられるくらいの基礎体力や運動能力があ

るかをみる試験です。一位抜けすることよりも，ほかの受験者に後れをとらないことが肝心です。

とはいっても消防官試験です。ほかの公務員試験の受験者に比べれば体力自慢が集まることでしょう。その中で後れをとらないというとどのレベルなのか，気になりますね。

受験案内に体力検査の合格基準を掲載しているところもありますから，それが目安となるでしょう。

体力検査の目安（令和6年度福岡市の例）

項目	男性	女性
上体起こし（30秒間）	24回	17回
握力（左右両方）	38kg	23kg
長座体前屈	38cm	38cm
立ち幅とび	192cm	141cm
反復横跳び（20秒間）	47点	39点
20mシャトルラン	62回	32回

Memo

採用説明会へ行こう！

なかなか表に出てこない消防官の仕事や休日の過ごし方など，自分の知りたいことを聞くには，実際に働いている方を探すのが一番。知り合いにそんな人がいなくても，採用説明会などに行けば生の声を聞くことができます。説明会はいつでもどこでもあるわけではないけれど，チャンスがあれば十二分に活用すべきですよ！

筆記試験の対策がわかる！

PART Ⅱ

どんなところが出る？

教養試験の攻略法

ここでは，公務員試験で最大の難関となる筆記試験について
紹介します。筆記試験（教養試験）で出題される
各科目について，どんな科目か，出題の形式，出題される範囲，
学習の重点を置くべきテーマ，学習法のポイントを解説します。
やみくもに学習に突き進む前に必見です。

教養試験って どんな科目が 出るの？

教養試験は 中学・高校で学ぶような 科目が出ます

出題科目は けっこう多い！

ロ 教養試験の出題科目

　教養試験の出題科目は，受験案内に
「一般的知能（文章理解〔英語を含む〕，判断推理，数的推理及び資料解釈の能力）及び一般的知識（社会，人文及び自然の知識）」
「一般的な知識及び知能について」
などと表記されることが多いです。
　でもこれではわかりづらいですよね。そこで教養試験の科目構成を図にしてみました。下の図を見てみてください。

教養試験の出題科目

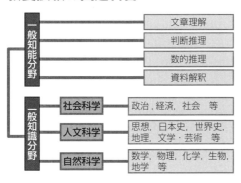

```
            ┌─── 文章理解
   一般      ├─── 判断推理
   知能      ├─── 数的推理
   分野      └─── 資料解釈

            ┌─ 社会科学 ── 政治，経済，社会　等
   一般      │
   知識      ├─ 人文科学 ── 思想，日本史，世界史，
   分野      │               地理，文学・芸術　等
            └─ 自然科学 ── 数学，物理，化学，生物，
                            地学　等
```

教養試験の それぞれの科目の 内容については， 48〜76ページを見てね

まず，教養試験は，一般知能分野と一般知識分野の2つに大きく分かれます。

一般知識分野は中学・高校までの教科に準じた科目になっているのでわかりやすいと思いますが，**一般知能分野は公務員試験独特のもの**で，科目名も初めて見るものばかりだと思います。

一般知能の科目をちょっとだけ説明しますと，**文章理解は現代文・古文・英文などの読解力を試すもので，判断推理・数的推理は数学的なパズルに似たもの，資料解釈は表やグラフを用いた資料の読取り問題となっています。**

「判断推理」と「数的推理」を合体させて「数的処理」って呼ぶこともあるよ

なお，教養試験は事務系と技術系で同じ問題が出題されます。

□上級と初級とは内容がどう違うの？

消防官試験では，年齢要件さえクリアできれば上級（大学卒業程度）でも初級（高校卒業程度）でも受験可能というところもあります。そのときに気になるのが**「実際の試験のレベルがどうなのか」**ということでしょう。

受験案内を見ても，上級と初級の試験レベルの違いはなかなかわかりません。そもそも試験レベルの違いについて触れられていないところが多いわけですし，なかには**「上級は大学卒業程度で，初級は高校卒業程度での出題となります」**といった書き方がされているところもありますが，教養試験の場合，高校で習った科目がベースなわけですから，「その差はなに？」と当然思うでしょう。

基本事項として，初級より上級の問題のほうが難しいということは確かに言えます。たとえば文章理解では，引用される文章の長さが上級のほうが長い傾向にありますし，使われている言葉も難しいものが多いです。判断推理や数的推理は，上級のほうが条件数が多かったり複雑になったりしています。ですから，一般知能分野では，上級のほうがより難易度の高い問題への対応力が必要となります。

一方，**一般知識分野ですが，出題範囲には大きな違いはありません。**しかし問題文の選択肢が，上級では長く，初級ではそれよりも短めという傾向があります。一般知識分野は，いわば「間違い探し」なわけですから，短いセンテンスの中から間違い箇所を探すほうが簡単，ということです。

高卒程度の対策は『高校卒で受けられる公務員試験 早わかりブック』を参照してね！

「A日程」とか「B日程」とかって何のこと？

試験日程ごとにグループ化したものです

消防官試験の大部分を占める市役所上級試験は試験日で3つのグループにタイプ分けされています

□ 3つのタイプとは？

PART I でも紹介しましたが，消防官試験の大部分は市役所で行われています。すなわち，基本的に各市役所がそれぞれに行っているものなのですが，市役所ごとに何もかもすべて違っているわけではありません。特に一次試験については試験日をそろえて，同じ問題を使っているところが多くなっています。

実務教育出版では，市役所上級試験を各市役所の一次試験日，試験構成，問題内容などから，以下の3つのタイプに分けています。

●A日程（6月下旬実施）

県庁所在市などの比較的大きな市がこの日程で実施しています。

一次試験日は令和6年度が6月16日，令和5年度が6月18日，令和4年度が6月19日でした。

出題数は教養試験・専門試験ともに40問で，その大半は地方上級試験の全国型と同一の問題になっています（一次試験実施日も，地方上級全国型の実施日と同日です）。

●B日程（7月上～中旬実施）

市役所試験の日程の早期化傾向に伴ってできたもので，全国的に広く共通の出題が見られます。

一次試験日は令和6年度が7月14日，令和5年度が7月9日，令和4年度が7月10日でした。
出題数は教養試験・専門試験ともに40問となっています。

●C日程（9月下旬実施）

全国的に最も多くの市がこの日程で採用試験を実施しており，B日程と同様，全国的に広く共通の出題が見られます。

一次試験日は令和6年度が9月22日，令和5年度が9月17日，令和4年度が9月18日でした。
出題数は教養試験・専門試験ともに40問となっています。

□志望する自治体はどのタイプ？

基本的には一次試験日が各タイプと同じであれば，そのタイプに該当するものと考えてください。多少独自の問題を入れていたりなど変型した出題になっていることもありますが，共通の問題が多く使われている可能性は高いです。

これ以外の日程の試験もあるけど，本書で十分対応できるよ！

なお，自治体によっては昨年はA日程だったのに今年はC日程……などと**同じ自治体であっても年によって試験日程が違うこともあります**。また，まれに臨時募集をすることもあるので，日程については事前に確認しておく必要があります。

Memo

町村の採用試験について

一部の町村試験においても，B日程・C日程と同じ問題が出題されていることが確認されています。ですから，一次試験日が上記の各タイプと同じであれば，そのタイプに該当する可能性は高いと思っていいでしょう。

□各出題タイプの比較

A日程は地方上級試験と共通の問題も多いので少々難易度が高くなる傾向があります。それに対して**B日程・C日程の問題は基礎的な知識をストレートに問われるようなものが多い**という傾向が見られます。

ただし，学習の開始時点では，出題タイプの違いはそれほど気にする必要はありません。併願するほかの公務員試験のことも考えて，出題されている主要科目を中心に学習すべきですし，頻出・定番の問題を解けるようにすべきだからです。

本書PART Ⅲの市町村問題は，消防官試験で全国的にシェアの大きなC日程をベースにしたものを掲載しています（21ページ参照）。

教養試験では
どこが大事なの？

得点アップと
時間短縮を
目指そう！

カギを握るのは
判断推理と
数的推理です！

□ 各科目の出題数

　各科目の出題数は次ページの表のとおりです。

　一般知能分野と一般知識分野が大体半分ずつの出題となっています。これは，地方上級など，どの試験でも同じです。

　なお，A日程・B日程など出題タイプの違いによる特徴はそれほど顕著ではありません。

□ 合格ライン達成のために

　一般知能分野は，公務員試験に特有の科目ということもあって慣れないうちは苦しみますが，学習が進むにつれて得点源になってくれるので，**一般知能分野の対策を中心に据えるとよいでしょう。**

　判断推理・数的推理では8割以上正答できるようにしたいところです。この2科目は学習を積めばだれでも正答率を上げられますし，短時間で解答できるようにもなります。教養試験では，本番の試験でも時間が足りなくなるのが普通ですから，解答時間を短縮できるこの2科目は最重要です。

　文章理解も出題数が多いので得意科目にできるとよいのですが，苦手な人が得意になるには時間のかかる科目なので，じっくり問題演習を重ねていくしかないでしょう。それでも現代文は2～3問正答したいところです。

　資料解釈は出題数も多くないので優先度は低くなります。

　一般知識分野については，高校で履修していた科目で得点することをねらいます。文系出身者なら人文科学（日本史，世界史など），理系出身者なら自然科学（数学，物理など）で得点を稼ぐことが多いようです。また，文系・理系

の両者にいえることですが，**社会科学（政治，経済，社会など）は得点源にすべきです。** 3分野のうち2分野で8割の正答率をめざします。

　以上のように得点を稼げれば，だいたい60〜65％の正答率に達します。もちろん人によって得意・不得意があるので，自分に合った得点計画でよいのですが，**判断推理と数的推理を得点源にするという基本は守ったほうがよいでしょう。**

科目別の出題数は年によって変わるので目安として見てね

教養試験の科目別出題数

科　目	A日程	B日程	政令指定都市	東京消防庁Ⅰ類
政治・経済	4	4	7	4
社会	5	5	5	3
思想	—	—	—	—
日本史	1	1	2	1
世界史	2	2	2	1
地理	2	2	2	1
文学・芸術				
国語	—	—	—	3
英語				
数学	1	1	1	2
物理	1	1	1	1
化学	1	1	2	1
生物	2	2	2	1
地学	1	1	1	—
文章理解	6	6	8	9
判断推理	8	8	10	8
数的推理	4	4	6	5
資料解釈	2	2	1	5
合　計	40	40	50	45

※令和5年度の情報による

🔲各科目の傾向と対策について

　次ページから，教養試験の各科目について，問題の形式，出題される内容，学習のポイントなどをまとめています。

　過去に出題された問題の内容については「過去10年間の出題テーマ」として一覧表にまとめました。

① 取り上げる試験は，全国（多くの市町村の消防官試験が実施される市役所C日程）と東京消防庁（Ⅰ類）です。それぞれを右のように記号で表します。ただし，令和5年度の**全**は市役所B日程の試験内容を反映しています。

② 記号1つについて1問の出題があったことを示しますが，1つの問題で複数のテーマにまたがっている内容の場合は，複数の該当箇所に記号を配置しています。

　なお，年度・試験によっては情報が十分になく，どのような内容だったか判明していない問題もあります。

試験名と記号の凡例

試験	記号
全国	**全**
東京消防庁	**東**

政治 傾向と対策

出題数	
全国 **3**問	東京消防庁 **4**問

PART Ⅲ問題	
全国	No.1〜3
東京消防庁	No.21〜24

憲法の比重が高いうえ国際政治など時事的な出題にも注意

どんな問題が出るの?

日本国憲法の出題割合が高く，国際政治などのテーマでは時事問題と絡んだ出題も目立ちます。日本国憲法は，高校までに習った内容よりも細かい知識が問われますが，聞き慣れた用語や概念が多いため心配は不要です。時事問題については，前年の出来事のうち重要なものを押さえておく必要があります。

出題テーマの傾向は?

全国（市役所C日程） では，国際政治，法の下の平等，裁判所からの出題割合が高いです。

東京消防庁 では，日本国憲法全般からの出題割合が高いです。また地方自治のテーマからの出題も目立ちます。

学習のポイント

出題可能性が最も高い日本国憲法に力を入れ，安定的な得点源とするのが得策でしょう。基本的人権の分野では判例，国会・内閣・裁判所といった統治機構の分野の条文の知識が重要です。

また，直前期には国際政治のテーマを中心に，時事的な知識を補充する必要があります。『公務員試験　速攻の時事』（実務教育出版）などに目を通しておくとよいでしょう。

重要度 **5** 大
難易度 **4** 難
出題範囲 **3** 広
学習効率 **2** 低
思考力 **3** 要

政治　過去10年間の出題テーマ

出題箇所		年度 26	27	28	29	30	元	2	3	4	5
政治学	民主政治の思想			東					東		
	議院内閣制と大統領制										
	選挙制度				全						
	日本の選挙制度										
	政党と政党政治				東						東
行政学	行政学の基礎理論										
	官僚制										
	地域住民の権利		全								
	公務員制度										
国際政治	国際連盟と国際連合	全	全		東			東			
	国際政治の現状と課題		東	全	東		東				
	世界各国の政治	東	東	東							
法学	比較憲法										
	民法										
	罪刑法定主義										
	労働法の基本問題			全		東					
憲法の基本原理	地方自治	東	全東		全	全		全	全		
	憲法改正		全								
	人権の歴史的展開と体系										
基本的人権	基本的人権の適用範囲・制約	全		全東	東		全		東	全東	
	幸福追求権										
	法の下の平等	東	東	全				全			
	精神的自由権			全		全東			全	東	全
	経済的自由権			全							
国会・内閣	国権の最高機関										
	国会議員							東	東東		
	立法府の活動	全		東			東				
	国会の権限と衆議院の優越			東				全		東	
	内閣			全				東		全	
裁判所	違憲法令審査権					東	全				
	裁判所の組織と権能		全		東		東				全
	裁判官の独立										

米大統領選など大きな選挙が近いと出やすい

全国では人権が出やすい！

東京消防庁では統治が出やすい！

（全＝全国，東＝東京消防庁）

49

経済 傾向と対策

理論的な問題と経済事情が出題される
専門用語・要点を押さえる学習がポイント

どんな問題が出るの?

経済原論（特に，市場の役割や消費者・生産者レベルで経済を見るミクロ経済学）を中心に出題されます。一部で，大学の教養科目として開講されている経済原論の内容（ただし，その中でも初歩的な内容）が出題されますが，おおむね高校での学習内容＋α程度です。

出題テーマの傾向は?

東京消防庁では，財政・金融および時事的な話題にちなんだテーマからの出題が中心となっています。財政・金融からの出題は日本の制度に関するものが多く，理論的な出題については総論的なものが目立ちます。

学習のポイント

全国（市役所C日程）と東京消防庁とで出題傾向が大きく異なるので，早いうちにどちらのタイプの試験を受験するかを決めることが肝要です。ただし，15年度以前の全国では経済事情から，19年度東京消防庁ではマクロ経済学から出題されていることを踏まえると，幅広く目を通しておく必要があります。とはいえ，いずれの試験もさほど深い知識は要求されないようなので，専門用語・要点を押さえる学習が効果的です。

重要度 **4** 大
難易度 **4** 難
出題範囲 **3** 広
学習効率 **2** 低
思考力 **3** 要

経済　過去10年間の出題テーマ

出題箇所		26	27	28	29	30	元	2	3	4	5
ミクロ経済学	余剰分析										
	消費者行動		全								
	生産者行動		全								
	市場の失敗										
マクロ経済学・金融	経済循環と国民所得		全		全		全				
	日銀の景気政策										
	金融政策論										
	信用創造										
	労働市場（分析）										
国際経済学	国際分業と国際経済										全
	貿易政策										
	外国為替の需給と為替相場					全					
財政	財政の役割										
	日本の財政						東				
	財政政策		全	全							
	租税制度			東	全					東	
	金融政策	全東		全	東				全		
経済事情	日本経済事情		全				全		全		全
	世界経済事情								全		
	地域的経済統合										
	経済用語	全	東				全	全東	全東	東		東

（全＝全国，東＝東京消防庁）

東京消防庁では時事的な内容が多い

PART II

教養試験の攻略法

社会 傾向と対策

出題数

全国	東京消防庁
1問	2問

PART Ⅲ問題

全国
No.7

東京消防庁
No.26～27

高校の「現代社会」の範囲から出題される 海外のニュースにも注意しておきたい

どんな問題が出るの?

消防官試験の社会は,高校の「現代社会」の範囲とだいたい重なっています。出題テーマとしては,国際社会に関する問題が最も目立ちます。次いで出題頻度が高いのは,労働分野です。最近は,日本の抱える現代的な課題,すなわち環境・エネルギー問題や少子高齢化,社会保障制度についての出題なども散見されます。

出題テーマの傾向は?

全国（市役所C日程）では,労働分野の雇用・失業・就業構造と,国際情勢が頻出です。労働分野で問われる知識は幅広く,失業率をはじめとする数値や雇用・失業対策（政策），海外の労働事情などについても出題実績があります。女性や非正規雇用者など,労働市場における弱者について問う問題も見られます。国際社会の分野では,各国・地域の情勢,日本と他国の関係,国際政治・国際経済に関する問題など,幅広い内容が問われています。

東京消防庁では,国際社会,特に東アジア情勢の出題頻度が高いです。このテーマだけは数年続けて出題されているので,今後も注意しましょう。

学習のポイント

まず国際社会について学習しましょう。全国,東京消防庁の両方で頻出となっています。このテーマでは常に旬の話題が取り上げられるため,過去問を解くことが必ずしも有効な対策になりません。日ごろからニュース番組を見たり,新聞の国際面に親しんだりしておきましょう。

このほかにぜひ学習しておきたいのが,労働,人口・少子高齢化,環境・エネルギーといった,オーソドックスなテーマです。『公務員試験　速攻の時事』（実務教育出版）を使うと効果的です。

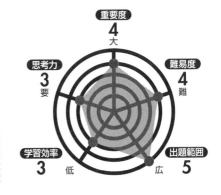

社会　過去10年間の出題テーマ

出題箇所		26	27	28	29	30	元	2	3	4	5
労働事情	雇用・失業の特徴	全									
	雇用・失業政策										
	労働組合の組織形態										
社会保障	日本の社会保障制度史										
	医療保険制度										
	高齢社会の発展				全	全	全		全	全	東
現代社会の諸相	人口問題		全						全東		全東
	女性・家族	東	東							全	
	環境・エネルギー	東	東	全	全		全	東	全東	全	
	防災			東					東		
	保健・医療・衛生						全				
	農業・食料		全							全	
	立法・法改正					全東	全				東
	地方自治			全			全	東			全
	消防白書										
	文化・スポーツ					東東	東	全			
	IT社会					全		全	全	全全	全
	宇宙政策							全			
	子ども						全				
国際社会	国際情勢	東東	全東	東東			全	全東東	全東	全東	全
	日本の外交・防衛	全		東	東					東	

出題が集中した

東アジア情勢に注意

(全＝全国，東＝東京消防庁)

日本史 傾向と対策

出題数	
全国 **2**問	東京消防庁 **1**問
PART Ⅲ 問題	
全国 **No.8〜10**	
東京消防庁 **No.29**	

年々問題の難易度が高くなってきており十分な対策が必要

どんな問題が出るの?

　全体的に見ると，政治史中心で出題されています。その意味で，日本史上の重要な出来事を網羅しておくことが重要です。また，古代史よりも中世以降の歴史が問われやすく，江戸時代・戦後・テーマ別通史などの出題が見られます。

出題テーマの傾向は?

　全国（市役所Ｃ日程）では江戸時代が頻出です。江戸以降の歴史も近年出題が増える傾向にあります。

　東京消防庁では，時代別で出題されています。政策面が問われやすく，政治史が出題の中心です。

学習のポイント

　政治史は日本史の基本ですので，まず政治史の流れをつかむことが大切です。さらに，各時代の特色を明確にして，経済・社会などに目を向けていくことも必要です。

　東京消防庁ではここ数年の傾向として文章量の多い「読ませる」問題となってきていますので，十分な対策をしておく必要があります。

重要度 **3** 大
難易度 **3** 難
思考力 **4** 要
学習効率 **4** 低
出題範囲 **5** 広

日本史　過去10年間の出題テーマ

出題箇所	年度	26	27	28	29	30	元	2	3	4	5
	弥生文化	全									
国律令家	天平文化										
	摂関政治と国風文化	東	東		東						
鎌倉時代	鎌倉幕府の創設							東			
	鎌倉文化										
	鎌倉仏教										
室町時代	室町幕府の創設						全	東	東		
	勘合貿易				全			全			
	土一揆						全			全	
	戦国大名				全	全				全	
	北山文化と東山文化								東		
江戸時代	身分制度と統制策			東					全		
	対外関係と鎖国							全			
	商業・都市の発展			東							
	幕政の推移			東							
	元禄文化と化政文化										
明治時代	近代化のための諸改革			全			東	東		全	全 東
	憲法制定と議会開設										全 東
	条約改正と日清・日露戦争										
両世界大戦	第一次世界大戦と日本経済	全									
	政党政治と大正デモクラシー									全	
	ファシズムの台頭とテロ										
現代	戦後の改革					全	全			東	
	高度成長期				全				全		
	国際社会への復帰										
	歴代内閣の政策		全					全			
通史	外交史										
	文学史										
	仏教史										
	貨幣・税制史		全								
	都市						全				
	統治機構・法制の変遷										

次第に近現代へ移行してきている！

全国では戦後からの出題も多い

(全＝全国，東＝東京消防庁)

世界史 傾向と対策

出題数	
全国	東京消防庁
2問	1問
PARTⅢ問題	
全国	
No.11～12	
東京消防庁	
No.28	

世界史上の重要な出来事が問われている
ヨーロッパ近代史に要注意

どんな問題が出るの?

　高校の世界史の教科書の範囲で出題されていますが,特に世界史Ｂ(古代～近現代までがまんべんなく記述されている)の重要事項を中心に出題されています。

　他の公務員試験と同様に,ヨーロッパ史とアジア史を中心に出題されています。

出題テーマの傾向は?

　全国(市役所Ｃ日程)では,古代・中世からの出題はまれで,近代以降のヨーロッパの歴史が問われています。現代史,それも戦後史の出題が２年に１度の高い割合で出題されていますので,まずは現代史を押さえることが大切です。

　東京消防庁では,ヨーロッパの近現代史の出題頻度が高い傾向にあります。アジア史では,中国王朝史からの出題頻度が高く,明や清など１つの王朝の特色を問う問題が出題されています。

　全国・東京消防庁ともにアジア史の分野からの出題は少なく,しかも中国に片寄っていましたが,ときたまイスラム史が出題されることがありますので注意しておきましょう。

学習のポイント

　ヨーロッパを中心に近代以降の重要な出来事とそれに関連する人物の把握や,近代以降に増えた革命や戦争の原因と結果などをまとめておくことが大切です。

重要度 3 大
難易度 4 難
出題範囲 5 広
学習効率 4 低
思考力 4 要

世界史　過去10年間の出題テーマ

出題箇所	年度	26	27	28	29	30	元	2	3	4	5
古代	ローマ史										
中世	教皇権の隆盛と十字軍	全						全			
絶対主義諸国 近代化と	ルネサンス					東					
	宗教改革						全				
	絶対主義諸国の盛衰								東		
	近代国家の成立					東				全東	
市民革命と産業革命	イギリス革命					東					
	産業革命										
	アメリカの独立と発展				全					全	全
	フランス革命										
自由主義	1830年代のヨーロッパ		全								
	1848年のヨーロッパ										
帝国主義時代	各国の状況					全					
	世界分割の進行							全			
世界大戦	第一次世界大戦とロシア革命				全						
	ヴェルサイユ体制			全							
	世界恐慌						東				
現代	大戦後の国際政治	全		全	東						
	民族運動	全									
	20世紀後半の世界					全			全		
アジア史	中国王朝史			全			全			全東	東
	中国近現代史		全				全				全
	イスラム史										
文化	ヨーロッパ近代						東				

（全＝全国，東＝東京消防庁）

東京消防庁では久しぶりに出題された

全国では現代史の出題が多い

地理 傾向と対策

出題数	
全国	東京消防庁
2問	1問

PARTⅢ問題

全国
No.13～14

東京消防庁
No.30

出題範囲は高校までに学習した地理の内容
各国地誌に関する出題の割合も高い

どんな問題が出るの?

地形を中心とする自然地理，世界の農牧業，鉱工業，各国地誌など高校教科書の地理Ｂ（地理Ａより総合的・学問的性格が強い）で学ぶ内容が出題されます。

出題テーマの傾向は?

全国（市役所Ｃ日程）では，２年に１度，あるいは連続して，アジア，アフリカ，ヨーロッパなどを中心に各国地誌が出題されています。世界の人口や民族などが問われています。世界地理の分野からの出題頻度は非常に高くなっていますので，今後も重点的に学習したいテーマです。また，ケッペンの気候区分も数年に１度の割合で出題されています。

東京消防庁では，地形と各国地誌が問われる割合が高くなっていますので，世界的な河川や海流などがどこを流れているのか地図を用いて確認しておく必要があります。それだけにとどまらず，河川の場合は接する国を把握しておくことも重要です。

学習のポイント

地形に重点を置いた学習がまず必要でしょう。さらに，各国地誌として，アジア，アフリカ，ヨーロッパの主要な国々の民族，公用語，貿易品目など特色をまとめておきましょう。なお，統計資料の出題頻度は徐々に低くなっています。

重要度 2 大
思考力 3 要
難易度 2 難
学習効率 2 低
出題範囲 5 広

地 理　過 去 10 年 間 の 出 題 テ ー マ

出題箇所 　　年度		26	27	28	29	30	元	2	3	4	5
地形・気候	海の地形								全		東
	侵食・堆積地形		全								
	平野・海岸地形		全			全					東
	地図投影法（図法）				全			東	東		
	気候						全	東			
	日本の農林水産業			全					全		全
	世界の農林水産業										
鉱工業	世界のエネルギー資源			東							
	世界の鉱産資源										
	世界の工業地域										
環境問題											
都市計画		東	東							全	
各国地誌	人類の諸集団と人口										
	宗教・言語			全		全					
	民族と国家			全						東	
	東アジア	全									
	東南アジア諸国										全
	西アジア										
	アフリカ諸国										
	西ヨーロッパ諸国										
	東ヨーロッパ諸国										
	アメリカ合衆国			全	全						
	ラテンアメリカ諸国					東					
	オセアニア										
日本の地理		全			東		全				全

まずは地形・気候を押さえたい

（全＝全国，東＝東京消防庁）

PART II

教養試験の攻略法

数学 傾向と対策

東京消防庁志望者には捨てられない科目

出題数	
全国	東京消防庁
1問	5問
PARTⅢ問題	
全国	
No.15	
東京消防庁	
No.32〜36	

どんな問題が出るの?

高校数学からの出題が主流ですが，出題数・難易度ともに，全国と東京消防庁では大きく異なるので注意が必要です。

出題テーマの傾向は?

全国（市役所Ｃ日程）では，関数を中心とした出題です。放物線に加え，円や直線といった座標と図形の問題にも注意しましょう。また，関数の問題を解くに当たり，処理方法として二次方程式の解法に用いる判別式や解と係数の関係なども，復習しておきたいところです。

東京消防庁では，出題数が3〜5問と多く，レベルも高くなっています。主に三角関数，微分・積分，ベクトルといった，他の公務員試験では出題頻度の低い分野からの出題となっています。

学習のポイント

全国は，出題数も1問で，傾向もほぼ定まっているので，関数を中心に対策を立てればよいでしょう。

東京消防庁は，出題数も多いので，決して捨てるわけにはいきません。しっかりと基礎から学習しておきましょう。過去問に基づいて繰り返し練習をして，深く理解しておくことが大切です。

重要度 1 大
難易度 3 難
出題範囲 3 広
学習効率 3 低
思考力 3 要

数学　過去10年間の出題テーマ

出題箇所		年度 26	27	28	29	30	元	2	3	4	5
無理数											東
整数問題											
方程式	2次方程式		東				東	東	東		東
	剰余定理・因数定理	東		東	東						
	高次方程式の解法						東				
	文字係数の方程式						東				
関数	2次関数, 複素数		全東		全東			東	東	東	全東	東
	3次関数の最大・最小										
	直角双曲線										
	その他の関数			東							全
図形と座標	直線の方程式	全									
	円の方程式										
	軌跡の方程式										
	図形の性質と計算				東				東		
	不等式と座標										
三角関数	三角関数		東				東	東		東	
	正弦定理・余弦定理										
	三角形の面積	東		東							
	三角関数の方程式・不等式										
指数法則											
対数関数											
ベクトル		東	東								
数列				東							
関数のグラフ		東		全東		全		全	全		
積分	面積への応用										
	体積への応用										
確率		東	東		東						
場合の数・順列・組合せ			東				東	東	東	東東	
集合										東	

（全＝全国，東＝東京消防庁）

近年よく出題されるようになった

グラフはねらわれやすい

東京消防庁では難易度の高い数学が出題される

物理 傾向と対策

出題数	
全国	東京消防庁
1問	3問

PART Ⅲ問題

全国
No.16

東京消防庁
No.37～39

傾向はつかみやすいのであきらめずに取り組もう！

どんな問題が出るの?

　物理は高校で選択していない人も多く，対策するのが困難な科目ですが，傾向を押さえて，絞った対策をしていくとよいでしょう。力学からの出題が多く見られますが，波，電気も注意しておきたいです。

出題テーマの傾向は?

　全国（市役所C日程）では，力学からの出題がほとんどで，なかでも力のつりあいからが多く見られます。基本的なもの，公式に代入すると解けるといった計算問題もあれば，発展型も見られます。図の処理，公式の確認，用語の意味といったところをしっかりと押さえておくことが重要です。

　東京消防庁では，3問の出題ということもあり，幅広く出題されています。力学では，加速度運動が続いて出題されていて，あとは，波，電気から各1問ずつといったところです。計算を必要とする問題が多いので，基本公式からしっかり覚えて，過去問を解くことで対策を進めていきましょう。

学習のポイント

　全国では，力学です。力のつりあいの問題，図のとらえ方，グラフや公式を使えるよう練習しておきましょう。

　東京消防庁では力学の中でも加速度運動が要注意です。波，電気も手を抜かずにやっておきましょう。難問を数多くやるよりは，基本中心に確実に理解していくことが大切です。

重要度 1 大
難易度 3 難
出題範囲 3 広
学習効率 3 低
思考力 3 要

物理　過去10年間の出題テーマ

出題箇所	年度	26	27	28	29	30	元	2	3	4	5
力学	力のつりあい		東	全				全			
	弾性力・摩擦力・万有引力							東			東
	剛体のつりあい										
	加速度運動	東	東		全東			東	全		
	力学的エネルギー	東					全	東		東	
	流体										
	熱力学の法則				東	東					
波動	波の性質			東		東	東			全	
	音波		全								
	光波										
電磁気学	磁力								東	東	
	コンデンサー								東		全
	抵抗の接続	東									
	直流回路	全		東	東	全	東				
	電流の熱作用		東								
原子物理	原子核の崩壊			東							
	原子力の利用										

力学は よく出る

東京消防庁は 力学以外も 要チェック

（全＝全国，東＝東京消防庁）

化学 傾向と対策

出題数	
全国	東京消防庁
1問	3問

PART Ⅲ問題

全国
No.17

東京消防庁
No.40〜42

用語と性質を覚えておけば解ける問題もある！

どんな問題が出るの?

高校で学習する化学とほぼ同じ内容です。科目の特徴として単元を絞った学習が難しく，基本用語，元素記号，公式などから順に理解を深めていくことになります。計算を必要とするものもありますが，多くはありません。

学習のポイント

化学はやはり理論，基本事項を覚えていくことから始まるので，広く学習する必要が出てきます。性質と用語を覚えるだけで解ける問題もあるので過去問と傾向をチェックして，効率よく学習しましょう。

出題テーマの傾向は?

全国（市役所C日程）では，基礎化学理論（化学結合，中和，化学反応，重要法則）からの出題が多く，気体に関する問題が特に要注意です。

東京消防庁では，出題テーマが他の試験に比べると傾向がはっきりとしています。化学結合，化学反応，気体の性質からの出題が多いです。出題数が3問と多く，ある程度絞り込めるので得点にしたいところです。他のテーマからの出題もありますが，理論をしっかり理解しておくことで，応用は利くと思われます。有機化学もまれに出題されています。

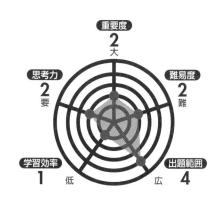

重要度 2 大
難易度 2 難
出題範囲 4 広
学習効率 1 低
思考力 2 要

化学　過去10年間の出題テーマ

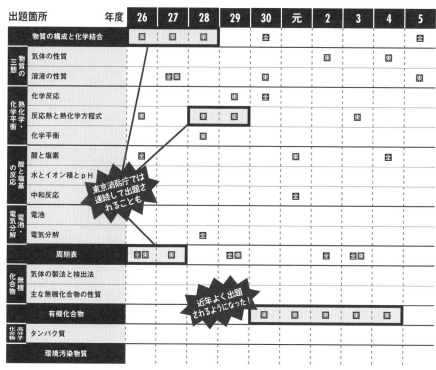

出題箇所		年度	26	27	28	29	30	元	2	3	4	5
		物質の構成と化学結合	東	東	東		全					全
物質の三態	物質の三態	気体の性質							東		東	
		溶液の性質		全東			東					東
熱化学・化学平衡	熱化学・化学平衡	化学反応				東	全					
		反応熱と熱化学方程式	東		東	東				東		
		化学平衡			東							
酸と塩基の反応	酸と塩基の反応	酸と塩素	全					東			全	
		水とイオン積とpH										
		中和反応							全			
電池・電気分解	電池・電気分解	電池										
		電気分解			全							
		周期表	全東	東		全東			全	全東		
無機化合物	無機化合物	気体の製法と検出法										
		主な無機化合物の性質										
		有機化合物						東	東	東	東	東
高分子化合物	高分子化合物	タンパク質										
		環境汚染物質										

東京消防庁では連続して出題されることも

近年よく出題されるようになった！

（全＝全国，東＝東京消防庁）

PART II 教養試験の攻略法

教養試験

生物 傾向と対策

出題数	
全国	東京消防庁
2問	**3**問
PART Ⅲ 問題	
全国	
No.18〜19	
東京消防庁	
No.43〜45	

全体的に難易度は低いので確実に得点したい

どんな問題が出るの?

範囲が広く，覚える用語なども多いのですが，単元に絞って学習することが可能な科目で，覚えた量だけ得点が期待できます。

出題テーマの傾向は?

全国（市役所Ｃ日程）では，明らかな傾向が読み取れません。広く全範囲から，まんべんなく出題されていて，連続性もないといえます。あえて要注意テーマを挙げるならば，呼吸（同化・異化），恒常性，生態系でしょう。

東京消防庁では，同化・異化の中でも光合成に関する問題，ホルモンや自律神経などがよく出題されています。生殖・発生からは出題されていません。とはいえ，やはり他の試験同様，広範囲からの出題で，3問の出題数ということからも，全体を通して学習しておいたほうがよいでしょう。

学習のポイント

生物は各テーマからまんべんなく出題されるといえるため，ピンポイントで学習箇所を絞ることはできません。しかしその反面，問題の難易度は低いので，広く浅い学習がおススメです。覚える量が多いのですが，用語とその意味，はたらき，現象など興味深いものも少なくないので，覚えていくにつれて問題も解けるようになります。

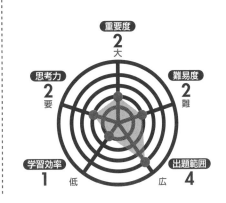

重要度 **2** 大
難易度 **2** 難
出題範囲 **4** 広
学習効率 **1** 低
思考力 **2** 要

生物　過去10年間の出題テーマ

出題箇所		26	27	28	29	30	元	2	3	4	5
細胞	細胞のつくりと働き							東	全	東	
	細胞膜の働きと浸透圧									東	
	細胞分裂			全			東				
	動物の発生		全東								
	動物の組織と器官				全		全				
	植物の組織と器官										
遺伝と進化	遺伝の法則				東						
	遺伝子と染色体				全						
	遺伝子の実体とDNA										
同化・異化	酵素とその働き			全			東				
	呼吸とその仕組み	全	全				東				
	炭酸同化	東	東				全		全		
	窒素同化と植物の栄養										
	動物の栄養と消化									全	
体液と恒常性	体液と内部環境				東		東	全東			
	血液の成分										東
	排出			全							
	免疫				東			全		全	東
個体と調節	自律神経と調節										
	内臓の働き	東	全東	全							全
	植物の調節									全	
刺激と行動	刺激の受容と感覚				東						
	神経系				東					東	
生物の集団	環境と生物	東	東						東		全
	個体群の相互作用								東		
	生態系の働きと平衡								東		
	地球環境と有害物質										
	保健・医療・衛生		全								

生物の出題箇所はまんべんない

（全＝全国，東＝東京消防庁）

地学 傾向と対策

高校の地学の内容とほぼ同じ
広範囲からの出題で対策は困難

どんな問題が出るの?

　全国（市役所Ｃ日程）では例年1問の出題で，高校地学の範囲となっています。「天文」「気象」「地学（地質や地震）」から順繰りに出題されているといえます。

　東京消防庁では出題されていません。

出題テーマの傾向は?

　全国のみの出題で，広く全範囲から毎年さまざまなテーマが取り上げられています。傾向が特になく，対策が立てにくいともいえます。あえて挙げると，大気中の現象，火山ですが，とにかく過去問を中心に広く学習しておいたほうがよいでしょう。

学習のポイント

　『公務員試験　速攻の自然科学』（実務教育出版）などをひととおり流して学習し，過去問をやっていく中で理解を深めるようにしましょう。今や，時事問題となっている（温暖化や地震など）ので，興味を持ってみるとおもしろくなります。

重要度　1　大
難易度　2　難
出題範囲　4　広
学習効率　1　低
思考力　2　要

地学　過去10年間の出題テーマ

出題箇所		年度 26	27	28	29	30	元	2	3	4	5
天文	地球の自転に伴う現象										
	地球の公転に伴う現象						全				
	恒星										
	惑星の特徴			全					全		
	惑星の運動			全					全		
気象	気圏の構造										
	太陽放射と大気の熱収支										
	波と潮										
	天気の変化と海洋	全			全	全					
地学	地球の内部構造									全	
	地震									全	全
	火山		全								
	化石と地質時代の区分						全				

（全＝全国）

天文・気象・地学の3分野から順繰りに出題されている

	出題数	
	全国	東京消防庁
	0問	1問
PART Ⅲ問題		
東京消防庁		
No.31		

四字熟語の漢字と意味が問われやすい
慣用句は必ず出題されている

出題テーマの傾向は?　東京消防庁では，漢字・ことわざ・慣用句・故事成語の問題が出題されています。**全国（市役所Ｃ日程）では出題がありません。**

学習のポイント　四字熟語の出題率が高いので，対策は四字熟語中心に取り組むべきです。四字熟語の漢字は正確に書けるようにしておくことが大切です。

英語 傾向と対策

	出題数	
	全国	東京消防庁
	0問	1問
別冊問題		
東京消防庁		
No.5		

日本語に対応する英訳の完成をめざす問題
難易度は低い

どんな問題が出るの?　東京消防庁のみの出題で，基礎知識が問われています。平易なものなので確実に正答しましょう。**全国（市役所Ｃ日程）では出題がありません。**

出題テーマの傾向は?　英語の中では基本となるような接続詞，前置詞，副詞，形容詞英熟語を挿入する英文法問題になっています。

文章理解 傾向と対策

出題数	
全国 **7**問	東京消防庁 **5**問

別冊問題	
全国 No.21～27	
東京消防庁 No.1～4, No.6	

現代文・英文・古文の長文読解
解答時間を短縮できるかがポイント

どんな問題が出るの?

　現代文・英文・古文の長文に関連した問題です。出題される文章は論理的に書かれたものが中心で，文学作品などはあまり出題されません。

出題テーマの傾向は?

　全国（市役所C日程）では，現代文・英文・古文のいずれも，空欄補充が出ることもありますが，ほとんどは要旨把握，内容把握です。
　東京消防庁では，現代文が多く，英文と古文は例年1問です。現代文では空欄補充や文章整序の出題がなくなり，要旨把握のウエートが大きくなっています。

学習のポイント

　現代文は，限られた試験時間の中で，素早く解答することが必要です。問題を解きながら，解法を身につけることが重要です。英文や古文は読解力をつけるには時間がかかりますが，問題演習を重ねるのが大事です。

重要度 **4** 大
難易度 **4** 難
思考力 **5** 要
学習効率 **3** 低
出題範囲 **3** 広

文章理解　過去10年間の出題テーマ

出題箇所	年度	26	27	28	29	30	元	2	3	4	5
現代文	要旨把握（人文科学分野）	全東	東	東	東東東	東東	東	東	全全東東東	全全東東	全全東
	要旨把握（社会科学分野）	全東東東	東東	東東	東	全東東東	東東東	東東東	全全東	全全東	全
	要旨把握（自然科学分野）		東	東		全	全東	東		東	
	内容把握（人文科学分野）		全	全		全	全				東東
	内容把握（社会科学分野）			全全	全全		全				
	空欄補充	全									東
	文章整序										東
英文	要旨把握（人文科学分野）									全	全全
	要旨把握（社会科学分野）										
	要旨把握（自然科学分野）									全	
	内容把握（人文科学分野）			東	全	全		全	全		
	内容把握（社会科学分野）	全全東	全全東	全	東	全全			全	全	
	内容把握（自然科学分野）	全	全	全全	全全		全全	全	全		東
	空欄補充								東東東	全	東
古文解釈		全	全	全	全						

（近年は要旨把握が増えている）

（全＝全国，東＝東京消防庁）

判断推理 傾向と対策

出題数	
全国	東京消防庁
7 問	**7** 問

PARTⅢ問題	
全国	
No.28～33	
東京消防庁	
No.7～13	

複雑な計算技術よりも，問題の内容を「論理的」に解釈していく能力が求められる

どんな問題が出るの?

判断推理の出題は，算数・数学的な内容というよりも，最近流行の「脳トレ」にも取り入れられているような，クイズ・パズル的な要素が濃厚です。

難易度は決して高くはありませんが，算数や数学でほとんど学習しないような内容を扱うこともあって，その意味では公務員試験独自の問題といってよいでしょう。

大別すると，
①文章によって示された条件に関して推測・確定する問題（言語分野）
②図形的な問題に関して推測・確定する問題（非言語分野）
の2つがあり，それぞれ①＝判断推理，②＝空間把握と呼ばれることがあります。

出題テーマの傾向は?

言語分野：①集合と論理，②対応関係，③数量条件，については頻出です。典型的な問題を確実に解けるようにしましょう。

非言語分野：①展開図，②積み木，③立体の切断，の範囲がよく出題されています。特に②積み木，③立体の切断の問題では，「分割法」という特殊な解法が有効です。

学習のポイント

全国（市役所C日程），東京消防庁ともに出題数が多いため，ぜひ得意科目としたいものです。

算数・数学が苦手であっても，判断推理が苦手な科目になるとは限りません。むしろ初めて学習する教科であるという意識を持つことで，得意科目にすることが可能です。『判断推理がみるみるわかる！ 解法の玉手箱』（実務教育出版）の活用をおすすめします。

その際，基礎練習→問題演習（過去問演習）→欠点の修正，という流れを確立するとよいでしょう。ドンドン過去問を解いていくことで，勘所に実際に触れていくという姿勢が大切です。

重要度 **5** 大
難易度 **3** 難
出題範囲 **3** 広
学習効率 **2** 低
思考力 **4** 要

判断推理　過去10年間の出題テーマ

出題箇所		26	27	28	29	30	元	2	3	4	5
	推論，集合の要素		全	全東	東	全東	全東東	全	東東	全東東東	全
	うそつき問題，発言からの推理	全	東		全東東						
規則性	暗号	東	東				東	東	東		東
	配列・数列						全				
	対応関係	全東	全全東		全東	全東	全	全東東	全全東	全全	全東
	試合・勝敗			全東				全	東		
条件数量	時間と順序			全							
	数値からの推定			東	全全	全	全東				
	順序関係	全東	東	全	全		全	全東	全		
	操作・手順							全		全東	全東
方位・位置	配置	全東	全								全東東
	席順										
	方位						東				
平面図形	図形の数え上げ・回転										
	図形の分割・構成	全	全	全			全	全	全全	全	全東
	折り紙						全				
	位相と経路		東東				全	全東		東	
	軌跡	全	全	全東東	全	全				全	全東
	立体図形	全東	東		全		全	全	全		全東
	正多面体		全東			東	東		全		
	展開図	全			東			全	東		
	サイコロ	東	東						東	全	
	積み木	東	東				東				
	投影図			全	全		全				全
	立体の切断			全	全	東	全		東	全東	
	鏡像										

（全＝全国，　東＝東京消防庁）

最重要テーマ

頻出テーマ

頻出テーマ

出題数が多いだけに
いろいろなテーマが
あります

73

数的推理 傾向と対策

出題数	
全国	東京消防庁
5問	**4**問
PART Ⅲ問題	
全国	
No.34〜39	
東京消防庁	
No.14〜17	

問題の内容を素早く理解し、適切な解法を見つける能力が重要

どんな問題が出るの?

小学校の算数，中学・高校の数学で学習した内容とほぼ同じです。

難易度は決して高くはありませんが，1問にかけられる時間が非常に短い（だいたい3〜5分）です。

図形の問題も出題されますが，判断推理とは異なり，数的推理では求積（長さ・角度，面積，体積などを計算して求める）問題が中心となっています。

出題テーマの傾向は?

全国（市役所C日程），東京消防庁ともに，①整数問題，②速さ，③平面図形，④場合の数と確率，については頻出です。典型的な問題を確実に解けるようにしましょう。

学習のポイント

判断推理に次いで出題数が多いので捨て科目にすることはできません。

算数・数学が苦手な受験生ほど，数学＝方程式という意識が強く，解答不能のスパイラルに陥ることが多くなっています。

数的推理では，「その問題に適した解法」が必ずしも方程式で解くことではないことを理解しましょう。

算数・数学が苦手という人は，『数的推理がみるみるわかる！　解法の玉手箱』（実務教育出版）を活用するとよいでしょう。

重要度 **5** 大
難易度 **3** 難
思考力 **4** 要
学習効率 **1** 低
出題範囲 **3** 広

数的推理　過去10年間の出題テーマ

出題箇所	年度	26	27	28	29	30	元	2	3	4	5
方程式			全			全全	全全東			全	
関数と座標平面											
年齢算											
時計算			東								
不等式											
整数 約数・倍数				東					全	全	
整数 整数問題		東	東	全東	全東	全	全東	東		全東	
覆面算・虫食い算		全	全				東		東	東	
魔方陣				全				全			
n進法						東		東		東	
比・割合		全	全				全			全	全
濃度					全				全		
定価と原価の関係						東					
仕事算		東		東	全	東	全			東	全東
速さ・時間・距離		全	全	全東	全東東			全東	全東	東	
平面図形 三角形				東							
平面図形 多角形					全				東		
平面図形 円				東			東				全東
空間図形 多面体と球									東		
空間図形 立体の体積・容積		東	東			全東東					
場合の数		全		東				東	全		全
確率		東	東	全	東	東		全			東

（全＝全国，東＝東京消防庁）

全国で連続出題

最重要テーマ

平面図形では円がよく出ている

まとめて学習すれば効果倍増のテーマ

資料解釈 傾向と対策

出題数

全国	東京消防庁
1問	3問

PART Ⅲ問題

全国 No.40

東京消防庁 No.18〜20

計算力よりも資料の見方を身につけることが重要

どんな問題が出るの?

数字の入った数表や，棒グラフ，折れ線グラフなどの資料が示され，その資料を正しく読み取れるかが問われます。

出題テーマの傾向は?

全国（市役所C日程）では，グラフ（図表）の出題がほとんどを占めています。グラフで示されている数値は伸び率がほとんどです。

東京消防庁では，数表とグラフ（図表）が均等に出題されています。グラフで示されている数値はほとんどが実数・割合です。

学習のポイント

数字が示されてその正誤を問われるのですが，むやみに計算することが必要なわけではありません。選択肢をよく読むと，示された資料からは断定できないようなことも含まれています。その選択肢について計算をする必要はないのです。問題を解きながら，こうした資料の読み方を身につけることが重要です。

重要度 3 大
難易度 3 難
出題範囲 2 広
学習効率 1 低
思考力 3 要

資料解釈　過去10年間の出題テーマ

出題箇所		年度	26	27	28	29	30	元	2	3	4	5
数表	実数・割合	よく出る	東東	東東	東	東東	全全東東東東	東東東	全東東東	全全東東	全東東東	全全東東
	指数・構成比				東東					東	東東東	全
図表	実数・割合	よく出る		全東	東	全東		全全東	全東	東東		
	指数・構成比		全東		全東		東		東	東		東東
	伸び率（増加率）				全		東				全東東	
特殊な資料	三角図表											
	相関関係（散布図）											
	累積度数											

（**全**＝全国，**東**＝東京消防庁）

どんな問題が
出るのかわかる！

PART Ⅲ

キミは解けるか？
過去問の
徹底研究

まずは80ページ以降の問題を
時間を計りながら解いてみましょう。
過去問からピックアップした問題ばかりなので，
初めて見る人にとっては難しいと感じられるはずです。
だれもが初めは同じです。
重要なのは，解き終わってから復習をすることです。
ここでは，解答のコツ，選択肢別の難易度，
目標とすべき「理想解答時間」，
合格者ならどのくらい正答できるのかの目安になる
「合格正答率」を示すので，
復習しながら目標とするレベルがわかります。

教養試験って実際にどんな問題が出るの?

80ページ以降の過去問を見てください! 問題の詳しい解説も一緒にチェックしよう!

試験の感覚をつかもう

A

□ 消防官の過去問とは

本書の80ページから，過去問を載せています。

これは，過去に大学卒業程度の消防官試験で実際に出題された問題がベースとなっています。繰り返し出されているテーマ，よく出る形式の問題をピックアップして，それを実際の試験に忠実な形で再現してありますので，この「徹底研究」を見れば，おおまかにどんな問題がどのくらい出ているのかということがわかってもらえると思います。

問題を見ると「うわっ! 難しそう!」と感じると思うけど，みんな最初はそうなので気にしないでね!

高卒程度の問題は『初級公務員試験早わかりブック』を見てね!

□ 問題の詳しい解説を読んで
理解を深めよう！

　解説では以下のようにさまざまな観点から過去問を1問1問分析して，感触をつかめるようにしています。

　まずはこの「徹底研究」を見てみて，「こういう問題はこうやって解くのか」「この問題を解くにはこういう知識が必要なのか」というところを確認するのもよいでしょう。

次ページからの「徹底研究」について

この問題の特徴	出題の傾向や問題のテーマや形式についての説明
選択肢の難易度	難しい選択肢，ひっかかりやすい選択肢などをピックアップ
解答のコツ	正答を導くための考え方，基本となる知識などを説明
解説	選択肢の正答・誤答の根拠を説明
理想解答時間	この問題を解くうえで目標にすべき解答時間の目安
合格者正答率	合格者ならどのくらい正答できるかの目安

過去問を解き終わったら166ページ以降の実力判定の表にチェックしてみよう！

□ 自分の今の実力をもっと試したい人は…
過去問集にチャレンジ！

　消防官の過去問は、大まかに市町村と東京消防庁の2タイプの教養試験に分かれています。

　それぞれ「五肢択一式」という、5つの選択肢の中から1つだけ正しいものを選んでマークシートに記入する方式です。市町村タイプでは、問題が40問、東京消防庁タイプでは問題が45問、解答時間はいずれも2時間となっています。これを実際の試験と同じように、キッチリと時間を計って解いてみてください。おそらく最初は「時間も足りないし全然得点できない！」ということになると思いますが、これから学習を積めば正答率は確実に上がっていきますし、解答時間も大幅に短縮できるようになります。

おすすめ書籍

　『[大卒・高卒] 消防官教養試験過去問350』（実務教育出版）

　最新年度までの過去問を収録しています。実力試しや、試験別の出題傾向、レベル、出題範囲を知るために最適です。

※画像は2024年度版のもの

教養試験 ▶市町村
政治

選挙制度

理想解答時間
3分

合格者正答率
90%

選挙制度に関する次の記述のうち、妥当なものはどれか。

1 比例代表制は、政党の得票率に応じて議席が配分される制度であり、候補者が少ない小政党よりも大政党のほうが有利である。

2 小選挙区制は、選挙区が小さくなるため選挙費用が抑えられるメリットがある一方、死票が多くなるというデメリットがある。

3 小選挙区比例代表並立制を採用しているわが国の衆議院議員選挙では、小選挙区と比例区での重複立候補は禁止されている。

4 わが国の衆議院議員選挙は、1994年に中選挙区比例代表並立制から小選挙区制に改められた。

5 わが国では、2015年6月の公職選挙法改正による選挙権年齢の「18歳以上」への引き下げは、翌年の参議院議員選挙から適用されたが、裁判員や検察審査員の選任についても順次適用される予定となっている。

> 国内外を問わず選挙制度については定番の基本問題！

この問題の特徴

選挙制度は、日本の選挙制度と合わせると、市役所B日程・C日程での出題が散見されます。近年の出題割合はそれほど高いとはいえませんが、伝統的によく出るテーマですので、十分な準備をしておくべきです。正答率は、正答自体が基礎的なものであるため、初学者では40%程度でしょうが、受験時では90%程度になるでしょう。

選択肢の難易度

選択肢**1**と正答の選択肢**2**は、基礎知識を前提に現場思考で判断できるでしょう。選択肢**3**はやや細かめの知識です。選択肢**4**は基礎的な知識です。選択肢**5**は、近年の法改正を伴った話題であるので注意しておきましょう。

解説

1 × 誤り。比例代表制は、小選挙区制と比較して、死票が少なく、得票率と議席がおおむね対応するので、小政党の候補者がより当選しやすい選挙制度である。

2 ◎ 正しい。本肢のとおりである。なお、イギリスの下院やアメリカの両院では小選挙区制が採用されているが、ヨーロッパ大陸諸国では比例代表制が主流となっている。

3 × 誤り。小選挙区と比例区での重複立候補は禁止されておらず、小選挙区で落選しても比例区で復活当選することができる。

4 × 誤り。中選挙区制から小選挙区比例代表並立制に改められた。

5 × 誤り。国政・地方選挙のほか最高裁判所裁判官の国民審査、地方議会の解散請求の住民投票については「18歳以上」となったが、裁判員や検察審査官の選任については「20歳以上」のまま変更はない。なお、「18歳以上」選挙の第1号は、うきは市（福岡県）市長選であった。

正答
2

思想・良心の自由

理想解答時間	合格者正答率
▼▼▼▼ **4**分	**70**%

憲法19条の規定する思想・良心の自由に関する次の記述のうち，誤っているものはどれか。

> 「誤っているもの」を選ぶことに注意！

1 公務員が憲法を否定する思想を有していたとしても，それが内心の領域にとどまる限り，そのことを理由に懲戒等の不利益を課すことは許されない。

2 国が将来の皇室のあり方を検討する資料とするために，国民に対して天皇制の支持・不支持についてのアンケート調査を行うことは，憲法19条に反し許されない。

3 単なる事実の知・不知のような人格形成活動に関連のない内心の活動には，思想・良心の自由の保障は及ばない。

4 他人の名誉を毀損した者に対して，謝罪広告を新聞等に掲載すべきことを加害者に命ずることは，謝罪の意思を有しない者に，その意思に反して謝罪を強制することになるので許されない。

5 企業者は，労働者の雇用にあたり，いかなる者をいかなる条件で雇い入れるかについて，原則として自由に決定でき，特定の思想・信条を有する者をそのゆえをもって雇い入れることを拒んでも，それを当然に違法とすることはできない。

この問題の特徴

思想・良心の自由は，近年において，市役所B日程とC日程で数回出題されています。憲法の多くある個別の人権規定の中では，出題割合が相対的に高くなっています。

正答率は，初学者で40%，受験時で70%程度であると推測できます。

選択肢の難易度

すべての選択肢が専門科目の憲法でよく出題されるのと同レベルの知識です。もっとも，知識が定着していなくても，「誤っているもの」を選ぶ本問では，正答の選択肢**4**の内容は，新聞や雑誌で現実に謝罪広告の記事を目にしたことがあれば，常識的に考えて誤りであると判断することもできるでしょう。

解　説

1○ 正しい。内心にとどまる限りは，絶対的な保障を受ける。

2○ 正しい。本肢のようなアンケート調査は，思想・良心の自由の内容に含まれる沈黙の自由を侵害するものとして許されない。

3○ 正しい。人格形成活動に関連のない内心の活動まで保障の対象に含めると，思想・良心の自由の価値を希薄にして，その保障を軽くしてしまうからである。

4× 誤りなのでこれが正答となる。判例は，単に事態の真相を告白し陳謝の意を表明するにとどまる程度のものにあっては，裁判所が謝罪広告を強制したとしても思想・良心の自由の侵害とはいえないとする。

5○ 正しい。判例は，本肢のように判示している。

正答
4

No.3 教養試験 市町村 政治

裁判官の地位と権限

理想解答時間 **3分**　合格者正答率 **70%**

裁判官に関する次の記述のうち，妥当なものはどれか。

いつ出題されてもおかしくない 定番のテーマ

1 三権分立に基づき，裁判官は，国会の両議院の議員で組織される弾劾裁判所の弾劾裁判によって罷免されるほか，内閣の懲戒処分によっても罷免される。

2 最高裁判所の裁判官について，国民審査で過半数の投票が罷免を可とするときは，当該裁判官は公の弾劾により罷免される。

3 裁判官は，心身の故障のために職務を執ることができないと決定された場合には罷免されるが，この決定は裁判によってのみ行うことができる。

4 裁判官に対する懲戒手続きは，その裁判官の所属する裁判所によって行われ，かつ，その手続きによって当該裁判官を罷免することもできる。

5 裁判官が，弾劾裁判所の裁判で罷免の宣告を受けた場合，その他弾劾裁判所の裁判に不服がある場合には，最高裁判所に不服申立てができる。

この問題の特徴

裁判官をテーマとした問題は，市役所A日程～C日程の全タイプで出題されることが多いです。

正答率は，初学者で30%，受験時で70%程度であると推測できます。

選択肢の難易度

選択肢**1・2**と正答の選択肢**3**は，憲法の条文の知識ですが，あまり見慣れない問われ方のため，少し戸惑うかもしれません。**4**と**5**は，憲法の条文以外の知識であるため，やや細かい内容です。

解説

1× 誤り。国会の弾劾裁判については正しいが，行政機関は裁判官の懲戒処分を行うことはできない。

2× 誤り。国民審査で過半数の投票が罷免を可とするときは，当該裁判官は直ちにその職を失うのであり，公の弾劾である弾劾裁判を経ることなどは不要である。

3◎ 正しい。本肢のとおりである。

4× 誤り。裁判官に対する懲戒の方法として，罷免は認められていない。認められているのは，戒告または1万円以下の過料のみである。

5× 誤り。弾劾裁判所の判断は終局的なものであり，たとえその判断に不満があっても，最高裁判所をはじめとする通常裁判所への不服申立ては認められない。

正答 **3**

需要曲線と供給曲線

理想解答時間 **2分**　合格者正答率 **80%**

次の図1〜図3は、ある財の需要曲線（D）と供給曲線（S）を表している。このとき、次の記述ア〜ウと図の組合せとして、妥当なものはどれか。

テクニックを使え！

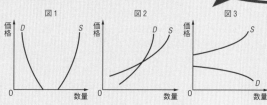

図1　図2　図3

ア：供給価格が需要価格を常に上回り、消費者の手の届かない財である。

イ：価格が上昇するほど供給量も需要量も増える財である。

ウ：供給量が需要量を常に上回る財である。

	図1	図2	図3
1	ア	イ	ウ
2	ア	ウ	イ
3	イ	ウ	ア
4	ウ	ア	イ
5	ウ	イ	ア

PART **III** 過去問の徹底研究

この問題の特徴

　最低2つの図を正確に読み取る必要があるため、初学者の正答率は30%程度でしょうが、受験時には100%正答できるようになりたい問題です。

解答のコツ

　本問のように、図群の数と対応する説明文の数が一致しているような問題では、すべてについて検討する必要はありません。

　本問の場合、供給曲線が常に需要曲線の右側にある図1と、供給曲線が常に需要曲線の上側にある図3が特徴的です。そして説明文の群を見ると、「常に」という文言が入っているものが2つあります。このことから、図2は「常に」という文言が入っ

ていないイに対応することがわかり、選択肢2、3、4は誤りだということがわかります。

解説

　図1＝ウ　供給曲線が常に需要曲線の右側にあるので、どんな価格でも供給量が常に需要量を超えている状況を表す。

　図2＝イ　供給曲線と需要曲線ともに右上がりなので、価格が上昇するにつれて供給量と需要量がともに増える状況を表す。

　図3＝ア　供給曲線が常に需要曲線の上方にあるので、供給価格が常に需要価格を超えている状況を表す。

　よって、**5**が正答となる。

正答
5

教養試験 市町村
経済

2財を消費する個人の予算線

理想解答時間 **2分** 合格者正答率 **70%**

図は，ある個人がX，Y財の2財を消費するときの予算線を表している。このとき，予算線の説明として妥当なものはどれか。

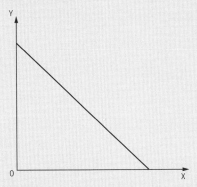

消費者の行動は
よく出る！

1 予算線の右上の点は購入可能である。

2 X財の価格が低下するとき，予算線は右上方に平行移動する。

3 X財の価格が上昇するとき，予算線の傾き（絶対値）が小さくなる。

4 Y財の価格が上昇するとき，予算線の傾き（絶対値）が大きくなる。

5 所得が増加するとき，予算線は右上方に平行移動する。

この問題の特徴

本問は，市役所の試験全体でほぼ毎年出題されている消費者行動からの問題です。

学習開始時点では，「予算線」の意味がわからない人もいるでしょうから，正答できる人は20%に達しないかもしれません。しかし，頻出テーマである消費者理論で不可欠な道具なので，受験時には100%正答できるようになりましょう。

解答のコツ

平易な問題ほど，犯す確率が高まるのがケアレス・ミスです。ですから，平易な問題では，後で見直さなくてもよいように，確実に確認作業を行う癖をつけるようにし

ましょう。もちろん，これだという選択肢がある場合には，その選択肢から確認するのも一つの方法です。

解説

1✕ 誤り。購入可能なのは予算線上とその左下の点である。

2✕ 誤り。X財の価格が低下すると，予算線の傾き（絶対値）が小さくなるのであり，平行移動にはならない。

3✕ 誤り。X財の価格が上昇すると，予算線の傾き（絶対値）が大きくなる。

4✕ 誤り。Y財の価格が上昇すると，予算線の傾き（絶対値）が小さくなる。

5◎ 正しい。

正答
5

84

関税の効果

理想解答時間 **3**分 　合格者正答率 **60**%

図は，自由貿易が行われている財の輸入に対して関税が課せられたときの国内生産者の供給曲線と国内需要曲線を表している。P_2は国際価格を示し，P_1は課税後の価格である。このとき，この国の総余剰に関する次の記述の空欄ア〜ウに当てはまる語句の組合せとして，妥当なものはどれか。ただし，この国は小国の仮定を満たしているものとする。

周期的に出題されている

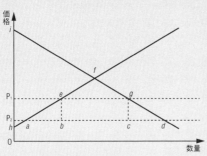

この国の消費者余剰と生産者余剰の合計の損失は（ ア ）であるが，関税収入（ イ ）が加えられるため，社会余剰の損失は（ ウ ）である。

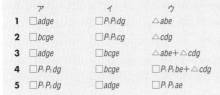

	ア	イ	ウ
1	□adge	□P_1P_2dg	△abe
2	□bcge	□P_1P_2cg	△cdg
3	□adge	□bcge	△abe+△cdg
4	□P_1P_2dg	□bcge	□P_1P_2be+△cdg
5	□P_1P_2dg	□adge	□P_1P_2ae

この問題の特徴

　余剰分析は，周期的に出題されているテーマの一つです。高校での学習範囲を超えるうえに，政策効果まで問われているので，学習開始時点で正答できる人は10%程度でしょう。とはいえ，頻出テーマからの問題なので正答できるようになりましょう。

解答のコツ

　試験で気をつけなければならないことの一つが，ケアレス・ミスです。本問の場合，あれこれ図形の面積を書き出して検討しているうちに，同じ面積を重複して計算

したり，見落としたりする危険が高いです。

解説

　自由貿易の場合の消費者余剰は△iP_2d，生産者余剰△P_2haであり，総余剰は足し合わせた$idah$である。

　関税が課された場合，消費者余剰は△igP_1，生産者余剰は△P_1eh，関税収入□$bcge$である。したがって，関税の賦課による社会余剰（総余剰）の損失は△abe+△cdgである。またこの国の消費者余剰と生産者余剰の合計の損失は，□$adge$である。

正答 **3**

　よって，**3**が正答である。

労働事情

理想解答時間 **3分**

合格者正答率 **70%**

最近の労働事情に関する次の記述のうち，妥当なものはどれか。

> 労働事情は「社会」の定番テーマ

1 労働力人口（15歳以上人口のうち，就業者と完全失業者を合わせた人口）は，過去10年増え続けている。

2 日本の労働時間は，人員削減の影響で増加傾向となっており，週間就業時間が60時間以上の雇用者の割合は2022年まで4年連続で増加している。

3 近年，就業も就学もしていない15～34歳の若年無業者は増加傾向にあり，このことが理由で15～34歳の若年層における完全失業率も上昇傾向にある。

4 従業員が一定数以上の事業主は，従業員に占める障害者の割合を障害者雇用促進法が規定する障害者雇用率以上にする義務があるが，障害者雇用率の対象とされる障害者は身体障害者および知的障害者である。

5 2021年の育児・介護休業法の改正により，原則1歳に満たない子に係る休業を対象とする育児休業に加えて，新たに子の出生後8週以内の休業を対象とする出生時育児休業が創設された。

この問題の特徴

労働事情は社会分野の定番というべきテーマです。本問はその典型で，労働力人口，労働時間，失業，若年者，障害者，女性の労働問題など，必修の論点を幅広く網羅しています。

選択肢の難易度

1，**2**，**3**とも基礎的な内容ですがデータの確認が必要であり**4**，**5**はニュースに触れるとともに法の知識が必要な選択肢です。

解説

1 ✕　誤り。完全失業者とは，調査期間中に仕事をしていないが，仕事があればすぐ就くことができ，仕事を探す活動や事業を始める準備をしていた者をさす。これと就業者を合わせた労働力人口は2020年から増減を繰り返し，2023年平均では前年に比べ2年ぶりの増加となった。男性は3,801万人で4万人の減少，女性は3,124万人で28万人の増加。

2 ✕　誤り。労働時間は近年減少傾向にある。週間就業時間60時間以上の雇用者の割合は感染症対策が実施された2020年に大きく低下し2022年までほぼ横ばいで推移している。

3 ✕　誤り。若年無業者は完全失業者の条件に合致せず非労働力人口に分類される。若年無業者は感染症拡大の影響による2020年の急増ののち減少したが2023年は前年比2万人増の59万人となった。若年層の完全失業率も2020年に上昇したが，以降は一貫して低下傾向にあり，2023年は15～24歳で4.1％，25～34歳で3.6％である。

4 ✕　誤り。精神障害者も含まれる。2026年6月までの障害者雇用率は民間企業（一般事業主）が100分の2.5，国・地方公共団体が100分の2.8である。

5 ◎　正しい。育児休業は原則1歳に満たない子を対象とするが，一定の条件の場合2歳に達するまで延長できる。これとは別に子の出生後8週以内に4週まで取得可能な出生時育児休業が創設された。前者では認められない休業中の就労が，後者では一定の条件のもと認められている。

正答 **5**

室町時代

理想解答時間	合格者正答率
1分	70%

室町時代について述べたア～オの記述のうち，正しいものの組合せはどれか。

> 基本事項を押さえていれば解ける！

ア　足利義満の時代には幕府の機構が整い，細川氏，斯波氏，畠山氏の３氏が交代で管領に任命された。

イ　農民の自治的組織であった惣村が廃れ，石高制が確立され，一地一作人の原則がとられた。

ウ　北朝の天皇と南朝の天皇が交互に即位する両統迭立がとられるようになった。

エ　荘園や公領の年貢の半分を徴発する権限を認めた半済令などで権力を拡大させた守護が守護大名となった。

オ　新田開発が積極的に行われ，農業技術が進歩し，備中鍬，千歯扱などが考案された。

1　ア，ウ　　　**2**　ア，エ　　　**3**　イ，エ
4　ウ，オ　　　**5**　エ，オ

この問題の特徴

室町時代は幕府の政策面が問われやすい傾向にありますが，本問のように政治面だけでなく，朝廷の状況や農業面まで掘り下げた出題も見られます。それだけ社会情勢が変わりつつある時代で，応仁の乱後には戦国時代に突入します。

日本史の場合，出題形式はほとんどが「単純正誤形式」ですが，本問のように正しい記述の「組合せ形式」も出題されています。

選択肢の難易度

アとエは室町時代の基本事項で，覚えておくべき内容です。イ，ウ，オは時代が異なる点が発見できれば，正答を導くのは容易です。

解答のコツ

室町時代の将軍の補佐役である管領は細川氏，斯波氏，畠山氏の３氏が交代で任命されたので，鎌倉時代の執権の北条氏のよ

うには権限を掌握することはできませんでした。

両統迭立とは，持明院統（後深草天皇の子孫）と大覚寺統（亀山天皇の子孫）が交代で皇位を継承した鎌倉末期の状況です。

解説

ア○　正しい。管領（将軍の補佐役）は細川氏，斯波氏，畠山氏の３氏が交代で任命された。

イ×　誤り。石高制の確立と一地一作人の原則は安土桃山時代の豊臣秀吉の政策に関する記述である。

ウ×　誤り。天皇が交代で皇位を継承する両統迭立が始まったのは鎌倉時代末期のことである。

エ○　正しい。1352年に半済令が出された結果，守護の権限が拡大し，守護が大名化した。

オ×　誤り。積極的な新田開発と備中鍬，千歯扱などが発明され農業技術が進歩したのは江戸時代である。

よって，正しいのはア，エなので，**2**が正答である。

正答　**2**

No.9

GHQ の政策

理想解答時間 **1分**　合格者正答率 **50%**

戦後史は
要チェック

第二次世界大戦後のGHQ（連合国軍最高司令官総司令部）の政策に関する次の記述のうち，妥当なものの組合せはどれか。

ア　独占禁止法が制定された後，三井・三菱など15財閥の資産凍結と解体が行われた。

イ　自作農経営をめざして農地改革が行われた。

ウ　20歳以上の男女に参政権が与えられ，衆議院選挙で初の女性代議士が誕生した。

エ　労働基本権の確立と労働組合の結成支援が進められ，1947年には二・一ゼネストが実施された。

オ　教育の地方分権をめざして，学校教育法で都道府県，市町村に教育委員会が置かれた。

1　ア, イ　　　2　ア, エ　　　3　イ, ウ

4　イ, オ　　　5　ウ, エ

この問題の特徴

　市役所の試験では戦後史の出題が非常に多くなっています。毎年あるいは2年に1度の割合で出題されているような状況です。GHQの民主化政策の流れを適切に理解しておきましょう。

選択肢の難易度

　終戦直後にGHQが行った政策を年代順に覚えていないと，アの正誤判断はできません。独占禁止法と財閥解体の順番は重要です。

解答のコツ

　戦後史では政治面だけでなく社会面として教育の自由主義化の過程も出題されています。1947年の教育基本法（男女共学・9年制の義務教育）と学校教育法（新学制）の違いは明確に覚えておきたい内容です。

解説

ア✕　誤り。独占禁止法が制定されたのは1947年のことである。三井・三菱などの15財閥の資産凍結と解体が行われたのは1945年のことである。

イ〇　正しい。自作農経営をめざし，1946年に第一次農地改革が，1947〜50年に第二次農地改革が行われた。

ウ〇　正しい。1945年に20歳以上の男女に参政権が与えられ，翌年の衆議院選挙では初の女性代議士39名が誕生した。

エ✕　誤り。1947年2月に予定された二・一ゼネストは戦後最大規模の労働闘争といわれるものであったが，1月31日にGHQから中止命令が出され，実施されなかった。

オ✕　誤り。市町村に教育委員会の設置することを定めたのは，1948年の教育委員会法である。学校教育法は1947年に出されたもので，6・3・3・4の新学制が定められたものである。

　よって，正しいのはイ，ウなので，**3**が正答である。

正答
3

近世の対外交易史

理想解答時間 1分　合格者正答率 60%

近世のわが国と外国との関係に関する次の記述のうち，妥当なものはどれか。

> 日本史は高校の
> 教科書レベル

1　南蛮貿易では，銀が主要な輸入品であり，日本からは工芸品などが輸出された。

2　織豊政権は，キリスト教を保護し，長崎を教会領として寄進した。

3　江戸時代初期，生糸を独占していた中国に対抗するため，特定の商人に生糸を一括購入させる制度がつくられた。

4　清とは鎖国中でも長崎の出島で貿易が行われた。清からの輸入品は生糸，絹織物，書籍で，日本からの輸出品は銀，銅，海産物であった。

5　徳川家光の時代に，朝鮮と琉球との国交を断って，鎖国が完成した。

この問題の特徴

　織豊政権から江戸時代は出題頻度が高い時代です。本問は対外交易史を近世に限って概観する問題で，織豊政権の南蛮貿易と宗教政策，江戸時代の貿易と鎖国下での外交などに絞って出題されています。対外交渉史は貿易の状況や戦争の因果関係などが多い傾向にあります。問われる内容は高校の教科書の範囲で，歴史的な基礎事項です。貿易品目を輸出品と輸入品で正確に覚えておくことはなかなか難しいものですが，日本史の問題ではこれまで貿易品目が問われている問題が少なからず出題されています。

　出題形式は「単純正誤形式」や「下線部正誤形式」です。

解答のコツ

　2の織豊政権は織田信長と豊臣秀吉の2人の時代が問われていますので，信長と秀吉の政策の違いを明確にしておくことが重要です。

解　説

1×　誤り。南蛮貿易で日本が南蛮人から輸入したのは鉄砲，火薬，中国産の生糸である。輸出したのが日本の銀である。

2×　誤り。織田信長はキリスト教を保護し，1580年に長崎をイエズス会領として寄進したが，豊臣秀吉は1587年にバテレン追放令を出して，宣教師を日本から追放した。

3×　誤り。中国産の生糸を日本に輸出する仲介貿易で利益を得ていたのはポルトガルである。これに対抗して，1604年に徳川家康が糸割符制度をつくった。

4◎　正しい。清とオランダとは長崎の出島で鎖国中も貿易が行われていた。

5×　誤り。3代将軍徳川家光時代には，朝鮮からは朝鮮通信使が来日した。琉球王国は1609年に薩摩藩の支配下に置かれた。

PART III
過去問の徹底研究

正答
4

中国の王朝と制度

理想解答時間 **1**分　合格者正答率 **60**%

中国の各王朝に関する記述とその時代が一致しているものは，次のうちどれか。

1 南京で皇位に就いた洪武帝によって中書省が廃止され，税制度では両税法から一条鞭法に改められた。——隋

2 北朝の外戚であった楊堅が南朝の陳を倒して，建国した。官吏登用では科挙が，税制度では租庸調が行われた。南北を結ぶ大運河の建設なども行われたが，煬帝による高句麗遠征の失敗を機に衰退した。——唐後期

3 皇帝の玄宗に対し，節度使の安禄山と史思明が安史の乱を起こした。藩鎮が勢力を伸ばし，租庸調から両税法へ，府兵制から募兵制へと改められた。——唐前期

4 節度使の勢力を削減し，科挙官僚による統治を推進した。科挙では殿試が行われるようになり，政治家の王安石による新法は旧法党の反対があって成功しなかった。——宋

5 三省六部という律令体制で，李淵（高祖）が建国した。隋に続いて科挙が採用され，また，租庸調制・均田制・府兵制が行われた。——明

この問題の特徴

　市役所A・B日程ではアジア史の出題が高くなっています。特に，中国王朝史は頻出テーマです。本問は隋，唐，宋，明に限ってその状況が問われています。官吏登用試験の科挙制，農民に課せられた税負担の租庸調制・均田制，銭納が始まった両税法，銀納の一条鞭法，府兵制から募兵制への兵制の転換など，紛らわしい内容が多い問題です。各王朝の政策面とそれにかかわった人物を正確に覚えておきましょう。

　アジア史の出題形式はほとんどが「単純正誤形式」です。欧米史よりもアジア史は暗記すべき内容がかなり限られていますので，積極的に学習したいテーマです。

解答のコツ

　唐前期と唐後期に分かれて問われているように，唐の前半と後半では，政策面をはじめとして社会面でも大きな違いが見られます。玄宗の失脚した安史の乱が1つの転換点です。

解説

1✕　誤り。明に関する記述である。洪武帝は明の創始者で親政を開始し，中書省を廃止した。また，一条鞭法の税制を施行した。

2✕　誤り。隋に関する記述である。楊堅が南朝の陳を倒して建国したのは隋で，科挙制度を創設し，租庸調制度を行った。2代皇帝の煬帝は大運河建設を行い，高句麗遠征に失敗した。

3✕　誤り。唐後期に関する記述である。安史の乱は755～763年に起こった反乱で，安禄山と史思明が玄宗を失脚させた。両税法，募兵制への転換期でもあった。

4◎　正しい。科挙で殿試が行われ，王安石による新法が行われたのは宋（北宋）の時代である。

5✕　誤り。唐前期に関する記述である。唐の創始者の李淵は隋にならって三省六部，科挙制，租庸調制，均田制を整備し，府兵制をとり入れた。

正答
4

No.12 アメリカの外交

理想解答時間 1分 ｜ 合格者正答率 50%

世界史も基本事項が問われる

アメリカ合衆国の外交に関する次の記述のうち，妥当なものはどれか。

1 モンロー大統領はモンロー教書でヨーロッパに対し相互不干渉を宣言し，ラテンアメリカ諸国の独立を支援した。

2 マッキンリー大統領はアメリカ・スペイン戦争（米西戦争）でスペインに敗れ，キューバの独立を認め，フィリピンをスペインに割譲した。

3 ウィルソン大統領は「14カ条の平和原則」で国際連盟の構想を示して実現させ，アメリカは常任理事国となった。

4 トルーマン大統領はギリシアとトルコに向けた軍事・経済援助であるマーシャル・プランを打ち出し，共産主義諸国と対立した。

5 レーガン大統領はマルタでゴルバチョフ・ソ連共産党書記長と初めて米ソ首脳会談を行い，冷戦終結を宣言した。

この問題の特徴

アメリカ合衆国の歴史はヨーロッパ史の中で出題されています。イギリスからの独立を達成した18世紀以降が問われています。ヨーロッパ諸国とともに問われるパターンと，アメリカ合衆国だけに焦点を当てて出題されるパターンが見られます。出題形式は「単純正誤形式」で，世界史上の基礎事項です。

選択肢の難易度

有名なアメリカ大統領が中心に出題されていますので，正誤の判断を適切に行いたいところですが，5のマルタ会談はやや難しい内容です。

解答のコツ

外交問題が中心になって出題されていますので，戦争，国際機関，国際援助などがポイントです。国際連盟はアメリカの上院の反対で不参加となりました。

解説

1◎ 正しい。第5代大統領モンローが1823年にモンロー教書で，アメリカ大陸とヨーロッパ諸国の間での相互不干渉を宣言した結果，ラテンアメリカ諸国が独立した。

2× 誤り。第25代大統領マッキンリー時代の米西戦争はキューバのスペインからの独立運動を機に起こり，アメリカがスペインに勝利した。敗れたスペインはキューバの独立を認め，フィリピンをアメリカに割譲した。

3× 誤り。第28代大統領ウィルソンは国際連盟の設置を提唱したが，国際連盟にはアメリカは不参加で，常任理事国はイギリス，フランス，イタリア，日本（後にドイツ，ソ連が加わった）である。

4× 誤り。第33代大統領トルーマンは1947年にトルーマン・ドクトリンを発表した。マーシャル・プランは国務長官マーシャルが打ち出したヨーロッパ経済復興援助計画のことである。

5× 誤り。冷戦終結の宣言が出されたマルタ会談（1989年）は，第41代大統領ブッシュとソ連共産党のゴルバチョフの間で行われた。

正答 1

世界の石油

理想解答時間	合格者正答率
1分	60%

世界の石油に関する次の記述のうち，妥当なものはどれか。

1　OPECは，国際石油資本による原油価格の一方的引下げに対抗するため，産油国の私企業によって組織された。

2　中国は，東北地方の「ターチン」油田の開発以降，アジア有数の原油輸出国となった。

3　アメリカ合衆国には，内陸油田・メキシコ湾岸油田など多数の油田があり，原油が最大の輸出品となっている。

4　ノルウェーは，北海油田から産油しており，輸出品の第1位は原油である。

5　カスピ海沿岸の油田開発は，ロシアやヨーロッパ諸国により行われてきたが，現在ではイギリスをはじめヨーロッパ諸国は，撤退し始めている。

> よく出る
> 産油国・輸出国の
> 石油関連問題！

この問題の特徴

エネルギー資源への関心の高さから，市役所の試験全体で産油国に関する出題は多くなっています。産油国といっても中東に限った問題ではなく，東・東南アジアやヨーロッパ，アメリカ合衆国まで幅広く問われています。有名な油田の場所を確認しておくことも大切です。

選択肢の難易度

世界有数の産油国について問われる中，**2**の中国の状況はやや難しい内容ですが，生産国と輸出国が必ずしも一致しない点に注意が必要です。

解説

1 ×　誤り。OPEC（石油輸出国機構）は中東の主要産油国がアメリカ・イギリスなどの外国資本に対抗するため1960年に設立した組織である。石油政策を進め，石油価格の安定をめざしているが，近年は投機マネーに左右されている。

2 ×　誤り。中国の原油生産量は増えているが，輸出量は多くない。アジア有数の原油輸出国はインドネシアとマレーシアである。

3 ×　誤り。アメリカ合衆国の最大の輸出品は機械類であり，次いで自動車，航空機の順となっている。原油はむしろ輸入品の上位である。

4 ◎　正しい。ノルウェーの輸出品目の第1位は原油で，次いで天然ガス，機械類，石油製品の順となっている。

5 ×　誤り。カスピ海沿岸の油田は旧ソ連によって開発が行われてきた。

正答
4

世界の気候

理想解答時間 **1**分　合格者正答率 **70%**

世界の気候に関する次の記述のうち，妥当なものはどれか。

気候に関する
基本問題は
しっかりチェック
しておきたい

1　熱帯雨林気候は，年中高温多雨で，スコールが見られる。アマゾン川やコンゴ川の流域がこの気候である。

2　ツンドラ気候は，夏でも摂氏0度を超える日がない気候であり，コケが生育できない。グリーンランドはこの気候である。

3　西岸海洋性気候は偏西風の影響で，気温の年較差が大きく，落葉広葉樹が多い。

4　地中海性気候は大陸東岸で見られ，降水量が一年中一定であり，オリーブやブドウなどが栽培されている。

5　ステップ気候は乾燥気候であり，穀物が育たず，遊牧も行われていない。デカン高原がこの気候で有名である。

この問題の特徴

　世界地理では，ドイツの気象学者ケッペンの気候区分は重要です。「単純正誤形式」の問題が中心で，問われる内容は気候の特色やその気候に属する地域を理解しているかどうかです。

　本問は気候に関する典型的な基本問題です。今後もこのような問題が出題される可能性が高いですから，しっかりと学習しておきましょう。

解答のコツ

　1の年中高温多雨は熱帯雨林気候を押さえるための重要キーワードです。

　氷雪気候と**2**のツンドラ気候の違いはコケが生育するかしないかです。

　3，**4**で問われている温帯の西岸海洋性気候と地中海性気候の違いは夏の温度の差で，前者が冷涼，後者が高温になります。

　5のステップ気候と砂漠気候の違いは穀物の栽培ができるかどうかです。

解説

1◎　正しい。熱帯雨林気候は年中高温多雨で，南アメリカのアマゾン川やアフリカ中部のコンゴ川流域など赤道直下で見られる気候である。

2×　誤り。氷雪気候に関する記述である。ツンドラ気候は夏に凍土地帯の凍土が解けて，コケ類が生育する。

3×　誤り。西岸海洋性気候は偏西風の影響で，気温の年較差が小さい。

4×　誤り。地中海性気候は地中海沿岸やヨーロッパ大陸西岸に見られる気候で，冬に降水量が多く，夏は乾燥する。

5×　誤り。ステップ気候は穀物が育つ気候である。インドのデカン高原はサバナ気候である。

PART **III**

過去問の徹底研究

正答 **1**

2次関数の最大・最小値

理想解答時間 **3**分　合格者正答率 **70**%

> $x^2+y^2=1$を満たす実数 x, yについて，$4x+y^2$の最大値を M, 最小値を mとするとき，$M-m$の値を求めよ。

**2 次関数は
はずせない！**

1 5

2 6

3 7

4 8

5 9

この問題の特徴

　市役所上級試験の数学において2次関数は頻出であり，はずすことはできません。しっかり学習しておきましょう。2次関数の中でも，頂点を求めて，グラフをかき，最大・最小を求める問題は基本的なものです。まずは，ここから始めましょう。しかし，この問題では，xの変域における条件がやや難しいので，ここであきらめてしまうことのないように。

　2次関数といっても，やはり式の計算，因数分解，といったことは必要です。計算力，解法テクニックと段階をたどって，確実な力を付けていきましょう。

解答のコツ

　$4x+y^2$ に，$x^2+y^2=1$ を変形して得られる $y^2=1-x^2$ を代入します。

　$f(x)=-x^2+4x+1$

これが，平方完成できるかどうかがポイントとなるのでよく練習しておきたいところです。すると，グラフの概形がかけます。

　次に x の変域について，$y^2=1-x^2\geqq0$ より，$x^2-1\leqq0$ の2次不等式を解くことになります。2次不等式はこうした形で使うこ

とがあるので，計算練習しておく必要があります。不等号の向きに注意しましょう。x の変域が求められれば，最大値，最小値は x の値を $f(x)$ に代入して求めることができます。

解説

　$x^2+y^2=1$ より，$y^2=1-x^2\cdots$①

　$4x+y^2$ に①を代入して，$f(x)=-x^2+4x+1$

$f(x)=-(x^2-4x)+1$

　　　$=-\{(x-2)^2-4\}+1$

　　　$=-(x-2)^2+5$　頂点$(2, 5)$

また①より　$y^2=1-x^2\geqq0$, $x^2-1\leqq0$

　$(x+1)(x-1)\leqq0$　より　$-1\leqq x\leqq1\cdots$②

右のグラフより，

　$M=f(1)=4$

　$m=f(-1)$

　　$=-4$

$\therefore M-m$

　$=4-(-4)$

　$=8$

　よって，正答は **4** である。

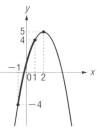

正答 **4**

力のつりあい

理想解答時間 **3分**　合格者正答率 **80%**

次の図のように，重さ200Nの荷物に2本の綱を付け，2人の人が綱を背負って荷物を支えた。綱はどちらも水平方向と30°の角度をなしていたとすると，人は何Nの力で綱を引かなければならないか。ただし，綱の重さは無視してよいものとする。

1　200N
2　205N
3　210N
4　215N
5　220N

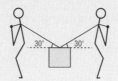

コツさえ
つかめれば
得点源に

この問題の特徴

　力のつりあいは，特に市役所C日程で頻出で，力学の分野では重要テーマです。この問題でもそうですが，作図を要する場合が多く，練習しておかないといけません。さまざまなケースを想定して，いくつもの問題に当たっておくとよいでしょう。

　計算では，三角比を使って処理をしますが，角度によっては簡単に対処できるものもあります。

　学習しはじめの頃は，何から手を着けてよいのかわからず，物理を捨てる人も少なくないですが，力のつりあいでは，まず作図。あせらずマスターしていきましょう。

解答のコツ

　図中の綱の付け根の所点Oから，荷物に働く重力を矢印で表します（長さは適当でよい）。次にこれと同一直線上に，反対向きで同じ長さをやはり綱の付け根から表します。そして，2人の綱の方向に分ける（分力）作図をします。このとき，平行四辺形をかきますが，この問題ではひし形となり，図より重力と同じ長さの一辺になることがわかるので，三角比の計算を用いな

くても正答を求めることができます。

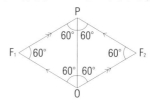

　△OF₁Pと△OF₂Pは正三角形となり，合同なので，$OF_1 = OP = OF_2$

　もちろん，計算で求めてもいいです。

解説

　人が綱を $F_1 = F_2 = F$〔N〕の力で引いて荷物を支えているとすると，荷物に働く力のつりあいは次の図のようになる。

F_1 と F_2 の鉛直方向の成分の和が200Nより

$$F_1 \cos 60° + F_2 \cos 60°$$
$$= \frac{1}{2}F + \frac{1}{2}F$$
$$= 200〔N〕$$
$$\therefore F = 200〔N〕$$

　よって，正答は**1**である。

正答 1

化学反応

理想解答時間 **2分**　合格者正答率 **70%**

次の文章中の下線部ア～ウについて述べた以下の記述のうち, 妥当なものはどれか。

基本知識を手がかりに

希硫酸に鉄を入れると鉄は溶けて, _ア気体が発生した。_イこの溶液に塩化バリウム水溶液を加えると, _ウ沈殿を生じた。

1 アの気体には刺激臭がある。

2 アの気体を集めるには下方置換が適している。

3 イの溶液中にある鉄イオンは1価の陽イオンである。

4 ウの沈殿は鉄イオンと塩化物イオンによるものである。

5 ウの沈殿は白色である。

この問題の特徴

無機化合物は頻出です。金属, 非金属の性質, 気体の製法など覚えることも多くて大変ですが, 知識を増やしていって, 正答率を上げていきましょう。

この問題は, 短かい文章の中に, さまざまな現象があって, 難しくなっています。化学反応の流れをつかまないと下線部が何をさしているのかさえもわからなくなってしまいます。ひとつひとつは, いずれもよく問われるポイントであり, 無機化学をひととおり学習すれば必ずチェックできる内容です。学習初期の頃の正答率は30～40%くらいでしょう。

解答のコツ

まず, 希硫酸に鉄を入れるときの反応がポイントです。化学反応式が書ける必要は決してありませんが, やはり書けると(せめて化学式)何が発生するかは推測できます。すると, 水素の性質から, 選択肢**1**・**2**が誤りであることは比較的容易に判断できるでしょう。

次に鉄イオンについても1価でないこと

は覚えておきましょう。選択肢の**4**と**5**は, 少し難しく, 硫酸バリウムについて, 沈殿物としての色を覚えていないと厳しいでしょう。

解説

1× 誤り。希硫酸に鉄を入れると水素が発生する。$Fe + H_2SO_4 \rightarrow FeSO_4 + H_2$

水素は無色, 無臭の気体。

2× 誤り。水素はほとんど水に溶けないので水上置換法で捕集する。

3× 誤り。この溶液中では, 鉄は2価の陽イオンFe^{2+}として存在する。

4× 誤り。硫酸イオンSO_4^{2-}が含まれている溶液に塩化バリウム(BaCl₂)水溶液を加えると, $Ba^{2+} + SO_4^{2-} \rightarrow BaSO_4$より, 硫酸バリウム(BaSO₄)が生じる。これは水に不溶であるので沈殿する。

5◎ 正しい。$BaSO_4$の沈殿は白色である。

正答
5

光合成と呼吸

理想解答時間 3分 ｜ 合格者正答率 70%

下文は，光合成と呼吸について述べたものであるが，下線部ア〜オに関連する記述として正しいものはどれか。

光合成は，光のエネルギーを用いて，葉緑体で，水と二酸化炭素から，有機物を合成する働きである。その過程は，チラコイドで行われる明反応とストロマで行われる暗反応から成り立っている。また，呼吸は，生命活動に必要なエネルギーを得る働きで，好気呼吸では，解糖系，クエン酸回路，水素伝達系の3つの反応系から成り立っている。

光合成と呼吸はペアで覚えよう！

1 ア—葉緑体の中の光合成色素であるクロロフィルは，ヘモグロビンの色素と似た構造を持ち，鉄を含み緑色である。

2 イ—光合成で消費される二酸化炭素の量は光の強さの影響を受けるが，温度の影響を受けない。

3 ウ—活性化したクロロフィルが水を分解して酸素を放出し，同時に，ADPにリン酸が結合し，ATPが合成される。

4 エ—細胞質基質において，ブドウ糖（グルコース）がピルビン酸に分解される反応で，酸素が必要である。

5 オ—ミトコンドリア内において，解糖系とクエン酸回路で遊離した水素が酸素と結合し水になる過程。3つの反応系のうち最も少量のエネルギーを発生する。

この問題の特徴

この問題では，光合成と呼吸の両方の特徴を出題していますが，どちらか一方のテーマだけが出題される年もあります。両方を問題として取り上げているだけに，基本とはいえ，幅広い知識を要する問題になっています。選択肢の中には，学習を積んでいないと判断に迷うものもあります。ただ用語を覚えるだけでなく，働きやその仕組みについて理解しておきましょう。

解答のコツ

ア〜オの下線部はいずれも重要なキーワードなので，各自，覚えているものから見ていきましょう。4と5については，好気呼吸についてしっかり覚えていないと誤りを見つけられないかもしれません。

解説

1× クロロフィルは，金属元素として，マグネシウム Mg を含んでいる。

2× 光合成速度（二酸化炭素の吸収）に影響を与える要因は，光の強さ，温度，二酸化炭素濃度である。

3◎ 正しい。葉緑体のチラコイド（グラナ）で行われる明反応は，活性クロロフィルから放出されたエネルギーによって，根から吸収した水が分解され，水素と酸素が生じる。水素はカルビン・ベンソン回路で二酸化炭素の還元に用いられ，酸素は体外に放出される。また，ADP（アデノシン二リン酸）にリン酸が結合し，ATP（アデノシン三リン酸）が合成される。

4× 細胞質基質において，ブドウ糖がピルビン酸に分解される反応で，酸素を用いずに進行する。この反応で，ブドウ糖1モルを分解するとATPが2モルつくられる。

5× ミトコンドリア内で，酸素を用いて進行する。この反応は，好気呼吸の3つの反応系のうち，最も多量のエネルギーを発生するものであり，ATPが34モルつくられる。

正答 3

遺伝

理想解答時間	合格者正答率
▼▼▼ **3**分	**60**%

次の文中の空欄ア～ウに当てはまる語句の組合せとして正しいものはどれか。

> 表を使って整理する

ある犬の毛の色の遺伝は、〔A, a〕〔B, b〕の2つの遺伝子によって決まり、A, Bはa, bより優性である。

〔A, B〕黒, 〔A, b〕茶, 〔a, B〕クリーム, 〔a, b〕白, である。今, 白と黒の犬をかけ合わせたら, 黒と茶の子犬が1:1の割合で生まれた。このとき黒の親犬の遺伝子型は（ ア ）。さらに, 黒の子犬と茶の子犬をかけ合わせたら, 孫犬の黒は（ イ ）の確率で生まれ, 黒：茶：クリーム：白＝（ ウ ）である。

	ア	イ	ウ		ア	イ	ウ
1	AABB	$\frac{9}{16}$	9:3:3:1	**2**	AABb	$\frac{3}{8}$	3:3:1:1
3	AaBB	$\frac{3}{8}$	3:3:1:1	**4**	AABb	$\frac{1}{8}$	1:3:3:1
5	AaBb	$\frac{1}{8}$	1:3:3:1				

この問題の特徴

遺伝は数年おきに出題されているので, 注意しておきたいテーマです。また, 単に用語を覚えるだけでなく, 問題に応じて考えることを必要とされるので難しく思えるでしょう。学習開始の時点で正答できる人は少なく, 遺伝子型の仕組みを学んでいくにつれ, 理解できるとポイントがつかめるでしょう。

解答のコツ

黒と白の親をかけ合わせたら, 黒と茶の子が1:1の割合で生まれたことから, ヘテロ接合体（B:b＝1:1よりBbとなる）ということがわかります。そうすれば, 選択肢の**2**と**4**が残ります。

次にAABbとaabbをかけ合わせてできた子の遺伝子型, AaBbとAabbからできる孫の遺伝子型については, 表にして考えてみましょう。

解説

ア. 黒色の親と白色の親を交配して生まれた子（F）が, 黒：茶＝1:1より, 黒色の親の遺伝子型はAABbである。

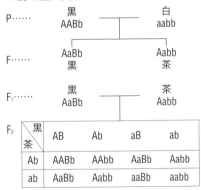

イ. 表よりF₂の黒〔AB〕の確率は$\frac{3}{8}$。

ウ. 表より〔AB〕：〔Ab〕：〔aB〕：〔ab〕
　　＝3:3:1:1。

よって正答は**2**である。

正答
2

98

惑星の見え方

理想解答時間 **3分**　合格者正答率 **70%**

地球から見た火星と木星の見え方に関するア〜エの記述のうち，妥当なものだけを挙げているのは次のうちどれか。

> **惑星ネタは要注意**

ア：地球から見て正反対の方向に同時に見えることがある。

イ：夕方から明け方までずっと見えていることがある。

ウ：常に一部分が欠けた状態で見える。

エ：天球上を順行することはあっても，逆行することはない。

1　ア，イ

2　ア，ウ

3　イ，ウ

4　イ，エ

5　ウ，エ

この問題の特徴

　惑星についての出題は，天文学の中では，近年注意しておきたいところです。しかしながら，地学は特に片寄った出題が見られないので，天文学以外のテーマも広く学んでおきましょう。

　この問題では，惑星の中でも火星と木星にターゲットを絞っており，さらには見え方を問題としているため難しいものになっています。そのため，初学者にとっての正答は困難であると思われます。

解答のコツ

　選択肢がすべて2つ妥当なものがあるとしているので，この点を利用していきましょう。ア〜エのうちで，比較的わかりやすいと思われるのは「ウ」です。「外惑星である火星と木星が，常に欠けて見える」という記述から誤りと判断できれば，選択肢の**2**，**3**，**5**を消すことができます。**1**と**4**では，「イ」が共通なのでこれは正しいと

わかりますので，あとは，「ア」と「エ」について考えればよくなります。

解説

ア○　正しい。火星と木星はともに外惑星であるので，地球を間にして正反対の位置にくることもある。このときは正反対の方向に見える。

イ○　正しい。たとえば，地球からの距離が最も近くなる「衝」のときは，日没の頃地平線から昇り，夜半に南中して，明け方の頃地平線から没する。

ウ×　誤り。火星がわずかに欠けるときがあるだけである。

エ×　誤り。一般に惑星は，内惑星であっても外惑星であっても天球上を順行するときと逆行するときがある。

　よって，正しいのはア，イなので正答は**1**である。

正答
1

現代文（要旨把握）

理想解答時間 **4分**　合格者正答率 **80%**

次の文の要旨と一致するものはどれか。

全体をまとめている選択肢を探せ！

　民主主義は，少数意見を尊重するようにできている。いったいなぜ，少数意見を尊重しなければならないのか？

　まず前提になるのは，人間は間違うということだ。人間の能力には限りがあるから，判断を誤って，間違っているのは，めいめいの個性によるとも考えられるし，いろいろな誤謬（ごびゅう）を犯しているせいだとも考えられる。

　つぎに，この系（コロラリー）として，多数意見だから正しいとは限らない，ということが言える。

　誤謬を犯す可能性のある人間がいくら大勢集まったからと言って，誤謬の可能性がゼロにはなりはしない。少数意見より多数意見のほうが，どちらかと言えば正しい，という蓋然性（たぶんそうだろうということ）すら怪しいものだ。ほかに生き方がないから，とりあえず多数意見に従うという約束ごとが多数決なのである。だから，多数＝正しい，ということを全然保証しない。あとから，少数意見が正しかったと，判ることもよくある。そのときには，多数意見だった人が考えを改めればいいのだが，そもそもそういうことができるために，ずっと少数意見をとなえ続けていてくれる人が必要だ。どの意見が正しいのかわからないのだから，沢山の異なった意見の人びとを確保しておくことは，多数意見を含むすべての人にとって，有利なことなのだ。少数意見を尊重するのは，社会にとっての安全策であり，多数者にとっての利益でもある。少数意見を尊重するというルールがあってはじめて安心して討論（発言）できる。このルールは，言論の自由にとって欠かせないものだ。

　人々は自由に，意見を変えることができる。だから誰だって，いつ少数意見に転落するか，わかったものじゃない。そうなっても，自分の良心（いったんこうだと思ったことを，特に理由もないのに変えないこと）を貫き通すためには，言論の自由，思想・信条の自由が守られていることが重要だ。自分が言ったり，考えたりしたことについて，処罰を受けたり不利益を被ったりしない。これは民主主義の，最低限のルールである。

1 多数意見はほとんどの場合正しいが，万一間違っていたときにこれに代わる意見がないと困るので，少数意見の尊重というルールは重要である。

2 多数意見が正しいとは限らないが，少数意見も正しいとは限らないので個々人が自分の信念を変えずに最後まで貫き通すことが民主主義の最低限のルールである。

3 民主主義における少数意見の尊重というルールは，多数意見が正しいとは限らないという前提のもとで，多くの意見を確保していくため重要である。

4 多数意見が正しいとは限らないのに，多数決という約束ごとによって物事が決まっていくということが，民主主義の限界である。

5 多数決で決定されたことでも，あとから間違いが判った場合には，全員がすみやかに少数意見に賛成することが，民主主義において重要である。

この問題の特徴

　社会に関する文章を題材として，その文章が全体として述べていることを解答させる頻出の「要旨把握」という出題形式です。

解説

1×　「多数意見はほとんどの場合正しい」が誤り。そういう判断を，本文では「怪しいものだ」と否定している。

2×　後半が誤り。本文では，信念を貫くことに対して処罰や不利益を与えないことが「民主主義の，最低限のルール」としている。

3◎　正しい。文章全体の要旨である。

4×　「民主主義の限界」が誤り。本文ではそれには触れていない。

5×　「全員が〜賛成することが，民主主義において重要」というのは，本文より誇張されている。

正答 **3**

現代文（要旨把握）

理想解答時間 5分　合格者正答率 80%

専門用語に惑わされるな！

次の文の筆者の主張として妥当なものはどれか。

　眼でみると単純な一つの「胚」に，一匹の動物の形を形成する能力や，その動物から遠くかけはなれた変種をつくりあげる能力をみとめる――これを正当化するのは，まさしくわれわれをそう強制する観察の結果である。しかしそこからまったく新しい形の動物があらわれる新形態の形成能力までもこの「胚」に帰すのはいきすぎである。「胚」の発生にさいして実際に観察された形成能力を，勝手に拡張して，生物体のもつ形のすべての類似性を一つの系統学的に関係があるものとして説明しようという誘惑を感ずるが，しかしこれは生物体のあたらしい概念につきまとう一つの「危険」である。

　われわれは遺伝的に規定された，突然に生じた動物や植物の変異・変種を数多く知っている。それらは「突然変異」とよばれている。そしてこの言葉はただ実際に観察された突然変異を意味することは，いうまでもない。ところが，この点でこの概念は今日ではつぎのように拡張されている。つまり，観察されたものから類推して，たえまなくあたらしい変化のあゆみは，ついには魚類から両棲類，爬虫類から鳥類にいたる数かぎりない突然変異を推測することになった。

　「胚」の発生についての知識は，生物体のわれわれの考えを根底から変革してしまうのにあずかって力があった。この生物体が自己展開する，つまり，「みずから創造する」という印象は，われわれの考え方を力強く支配することになった。だがしかし，この現象の確認は，発生・発達という大きな謎をただ指摘するとはいえ，けっして解決はしないこと，そしてさらに，たとえばあたらしい種の創造のような，より多くの形成力をそこに帰することは，科学的な発言の限界をはるかにこえたものである，ということをわれわれは忘れないでおこう。

1　ある概念をまったく違う分野の事柄の説明に適用しようとすると，その本来の意味が失われてしまう。

2　観察によって確認されたことは確かなことであるが，そこから確認できていないことまで推測して，真理とすることは誤りである。

3　実際に観察されたことは当然真理として受け入れてしまうが，観察されたことでも実は真理でない場合があることを認識すべきである。

4　仮説は観察によってある程度までは実証されうるが，観察によって明らかになることには限界があり，すべてを実証し尽くすことは不可能である。

5　観察によって明らかになったことは，それまで知られていなかったことを解き明かす一つの材料となるが，物事を理解する際に観察のみに頼ることは危険である。

PART III 過去問の徹底研究

この問題の特徴

　自然科学に関連する文章が題材となることもありますが，専門知識が必要とされることはなく，あくまでも文章で述べられていることを読み取れるかが問われます。

解説

1×　誤り。「まったく違う分野の事柄に適用」するわけではなく，拡大解釈されることで本来の意味が失われる。

2◎　正しい。筆者の主張である。

3×　誤り。観察された結果が真理でないと否定する立場は文中に見られない。

4×　誤り。どこまで実証できるかという点に関心があるのではなく，筆者は「胚」の与える印象が「われわれの考え方を強く支配」し，「科学的な発言の限界」を超える「誘惑」を生じさせる点を危惧している。

5×　誤り。観察の結果得たものは「大きな謎をただ指摘するとはいえ，けっして解決しはしないこと」を忘れるなと指摘しているので，観察が未知のことを「解き明か」すとは断言できない。

正答 **2**

現代文（文章整序）

理想解答時間 **4分**
合格者正答率 **60%**

次の短文A～Fを並べかえて一つのまとまった文章にしたいが，最も妥当な組合せはどれか。

**接続詞や指示語を
ヒントに**

A したがって，計量経済学の手法を使って，過去に観察されたデータから経済的なメカニズムを抽出するという作業は，非常に重要な意味を持ってくるわけです。

B 最近の統計データの整備や，コンピュータの性能の向上により，計量経済学的な手法はますます重要になっています。

C 他方，自然科学と大きく異なる点は，経済問題の大半は実験が非常に難しいということです。すべての経済現象は一度しか起こらないので，実験室で再現することはできません。

D 計量経済学は，さまざまな統計手法を駆使し，実際のデータを分析することにより，抽象的な理論の正しさを検証したり，複雑なデータの中に潜んでいる基本的な経済的関係を抽出するといった目的で使われます。

E このように，経済学はきちっとした理論的な基礎の上に構築されているので，世界中の多くの経済学者がこの理論的な基礎の上で分析を行うことにより，学問の国際的な発展につながっています。

F そうした意味では，経済学というのは社会科学の中では最も自然科学に近い分野であるといってもいいでしょう。

1 B－C－E－D－A－F
2 D－B－E－F－C－A
3 B－C－E－D－F－A
4 B－C－D－A－E－F
5 D－B－A－E－C－F

この問題の特徴

複数の文章の並べ替え問題は，毎年ではないものの定期的に出題されています。接続詞をヒントにして考えるのが定石ですが，本問の場合は，内容を読み取って考えなければならないのでやや難しいでしょう。

解答のコツ

本文は「経済学」のことがメインテーマとなっており，その対比として「自然科学」が登場していることがわかります。したがって，この2つの語句の関係を接続詞や指示語に注目して見ていくのがよいでしょう。

解説

Fで経済学が「社会科学の中では最も自然科学に近い」としているので，Fを「自然科学と大きく異なる点」を述べたCと，逆接の接続詞を使わずにつなぐことはできない。よって，C―Fとしている**5**は誤り。

1・3・4は冒頭でB―Cとつなぐことになるが，Cでいう「他方」が何を表すのか不明確なので，不適切である。

よって，残った**2**が正答である。

正答 **2**

古文 (内容把握)

理想解答時間 **5分** ┃ 合格者正答率 **50%**

**正確に
訳せなくても
なんとかなる!**

次の文の内容と一致するものはどれか。

よろづのことよりも, 情けあるこそ, 男はさらなり, 女もめでたくおぼゆれ。なげのことばなれど, せちに心に深く入らねど, いとほしきことをば「いとほし。」とも, あはれなるをば「げにいかに思ふらむ。」などいひけるを, 伝へて聞きたるは, さし向かひていふよりもうれし。「いかでこの人に, 思ひ知りけりとも見えにしがな。」と常にこそおぼゆれ。

必ず思ふべき人, とふべき人は, さるべきことなれば, とり分かれしもせず。さもあるまじき人の, さしいらへをもうしろ安くしたるは, うれしきわざなり。いと安きことなれど, さらにえあらぬことぞかし。

おほかた心よき人の, まことにかどなからぬは, 男も女もありがたきことなめり。

1 男の場合はともかく, 女の場合は何よりも思いやりの心を持っていることがすばらしく思われる。

2 他人に対して同情心や優しい気持ちを持っていても, 面と向かって何気なくそれを示すのは難しいが, 人を介して伝えることはできるものである。

3 自分に同情を示してくれていることを人づてに聞くのはうれしく, なんとかしてその人に思いやりが身にしみていることを知らせたいものである。

4 当然自分のことを思ってくれるはずの人でさえあいさつもろくにしないことがこの頃多いのは, 嘆かわしいことである。

5 男でも女でも気立てがよく才能豊かな人はよいものである。

この問題の特徴

清少納言『枕草子』を出典とする問題です。

文章理解の古文は随筆や説話集が出典となることが多く, 本文の分量は標準的といえます。

解答のコツ

内容把握の場合は, 文章全体の要旨をつかむ必要はありません。本文の場合は, 比較的内容が平易な前半部分がわかれば正答にたどり着けます。

解説

1× 誤り。冒頭の「男はさらなり, 女もめでたくおぼゆれ」より, 男の場合も女の場合と同じように思いやりがあるのがよいと述べられている。

2× 誤り。第2文で「伝へて聞きたるは, さし向かひていふよりうれし」とあり, で人づてに聞くのがよりうれしいと述べている。

3◎ 正しい。第2文, 第3文の内容を表している

4× 誤り。あいさつのないことを嘆く記述はない。

5× 誤り。才能が豊かな人がよいとは述べられていない。

正答
3

英文（内容把握）

理想解答時間 **5分**
合格者正答率 **50%**

次の英文の内容と一致するものはどれか。

「数字」に注意！

One of the things which people of the modern, industrialized nations take for granted is an adequate fresh water.

As 70% of the world's surface is covered with water, it's hard to believe that there could be serious shortages of water, so we need to be reminded that only 2% of the water in the world is fresh and ready to be used for human consumption and agricultural purposes. As most of that 2% is locked up in the ice of the North and South Poles, only 0.014% is readily available in the world's rivers, streams and lakes.

1 先進国では十分な淡水が供給されず，人々は常に水不足におびえている。

2 地球表面の70％は水で覆われているので，われわれは淡水を容易に使用できる環境にあることに感謝すべきである。

3 地球表面の70％は水で覆われているが，われわれが容易に使用できる淡水はわずか１％以下である。

4 地球表面の70％は海水であるが，容易に利用できる淡水はわずか２％を上回る程度である。

5 地球表面の大部分の水は，南極と北極の氷の中に閉ざされている。

この問題の特徴

　環境問題や資源問題に関する英文はよく出題されます。数量の大小関係が「ひっかけ」として用いられることがよくあるので，注意したいところです。

解答のコツ

　70％とは何の70％なのか？（地表の70％），２％とは何の２％なのか？（地球上の水のうち新鮮で人間の使用に適した水の割合が２％），0.014％とは何か？（地球上の淡水のうち容易に使える割合が0.014％），といった点を読み取れば解答できます。

解説

1 ✕　誤り。第１段落では，先進国では水が豊富にあると思っているとある。

2 ✕　誤り。第２段落第１文には，70％が水に覆われ，水不足が起こることは考えにくいからこそ，わずか２％の水しか利用できないことを忘れてはならないとある。

3 ◎　正しい。第２段落最終文の後半に，0.014％しか容易に利用できないとある。

4 ✕　誤り。２％を上回るという表現はない。

5 ✕　誤り。北極や南極の氷の中に閉ざされているのは，地球表面の２％の淡水のうちの大部分である。

正答 **3**

No.26 英文（内容把握）

理想解答時間 **3分**　合格者正答率 **60%**

次の英文から，日本人についていえることとして，最も妥当なものはどれか。

日本人論は よく出る！

Language plays a limited role in Japanese society. People generally believe that it is needless to speak precisely and explicitly with one another because they take it for granted that they share a lot of common assumptions. The function of language as a means of social communication in this country then, is to emphasize and reinforce the feeling of homogeneity.

In daily conversations, messages become telegraphic. Time, space, and logical relations are often unexpressed. Even major points are sometimes left unsaid. People are expected to understand meanings in view of the context of situation in which they are embedded.

Tacit understanding is more important than elaborate speech. People who cannot understand speech in its social context are frowned upon. People who resort to elaborate speech are felt as noise makers. Many Japanese would like to believe that if they are Japanese, they should be able to understand each other without words. When a communications failure occurs between two close friends, the one often accuses the other by saying "Don't you understand my intention if I don't express it ?"

1 相手に親近感を示すために日常会話において言葉を省略する。
2 寡黙なためにしばしば外国人から誤解される。
3 言葉をコミュニケーションの最良の手段とは考えていない。
4 物事を正確に明示的に表現する必要はないと考えている。
5 言葉を状況に応じて効果的に使う能力に欠けている。

この問題の特徴

コミュニケーションに関する英文や日本（人）論の英文はよく出題されます。本問は両者を合わせた文章です。

解答のコツ

内容把握のコツは，現代文でも英文でも同じですが，選択肢の中から「本文に書かれていないこと」を消していくとうまくいきます。

解説

1✕ 誤り。日常会話で言葉を省略するのは相手に親近感を示すためとは述べていない。

2✕ 誤り。外国人から誤解されるという点については触れていない。

3✕ 誤り。コミュニケーションの最良の手段については触れていない。

4◎ 正しい。第1段落に示されている。

5✕ 誤り。言葉を効果的に使う能力に欠けているとは述べていない。

正答 **4**

英文（要旨把握）

理想解答時間 **5分**　合格者正答率 **50%**

次の文の要旨として妥当なものはどれか。

先入観に
とらわれないように

It is often said that the Japanese are not a religious people. I wonder if this is not a mistake arising from the fact that relations between gods and men continue to be uncomplicated. Many things that are in their way religious, therefore, do not strike us Westerners as such. They are not absolute and inexorable enough. The observances of Shinto are not earnest enough to be acknowledged as religious. The essential element of the religious, the recognition of gods, is present all the same, and so perhaps the Japanese are more religious than the common view has them to be.

1 日本の神道の行事は生活と密接な関係を持っており，西洋人に比べて日本人は宗教を重んずる国民といえる。

2 日本における神々と人間の関係は西洋人からは理解されにくいが，日本人は通常いわれているよりも宗教的である。

3 日本の神道は西洋の宗教と違い，完全さを厳しく追求しないので，宗教とはいえない。

4 日本人は，根本には神を人間の生活にとって不可欠なものと思う気持ちを持っており，西洋人と違う形ではあるが十分宗教的である。

5 日本人は神道の行事に宗教的意味を置いていないので，西洋人から見ると，そこに宗教的真剣さがあるとは思えない。

この問題の特徴

日本（人）論の英文はよく出題されます。ただし，外国人の視点から書かれた文章が多いので，先入観にとらわれないようにしましょう。

解答のコツ

要旨把握の場合は，たとえ文章中で述べられていることであっても，それが要旨（文章全体のまとめ）でない内容ならば誤りとみなさなくてはなりません。

ただし，本問では文章中に書かれていない内容が誤りの選択肢にされていますので比較的楽に正誤を見極めることができるでしょう。

解説

1×　誤り。神道の行事が生活と密接な関係を持っているとは述べていない。

2◎　正しい。文章全体からこのように読み取れる。

3×　誤り。神道が「西洋の宗教と違い完全さを厳しく追求しない」とは述べていない。

4×　誤り。日本人が神を人間の生活にとって不可欠なものと思っているとは述べていない。

5×　誤り。日本人が「神道の行事に宗教的意味を置いていない」とは述べていない。

正答 **2**

三段論法

理想解答時間 **3分**　合格者正答率 **80%**

やや こしいが
コツさえ
つかめればOK

次のア〜オのうちの2つが成り立てば，「**消しゴムを持っている生徒は，ボールペンも持っている**」ということが確実にいえるとき，正しい組合せはどれか。

　ア　定規を持っていない生徒は，消しゴムも持っていない。

　イ　消しゴムを持っていない生徒は，定規も持っていない。

　ウ　ボールペンを持っている生徒は，定規も持っている。

　エ　ボールペンを持っていない生徒は，定規も持っていない。

　オ　定規を持っていない生徒は，ボールペンも持っていない。

1　アとウ

2　アとエ

3　アとオ

4　イとウ

5　イとエ

この問題の特徴

　命題・対偶・三段論法は，初めは難しく感じられますが，学習を進めて考え方を理解すれば得点源になります。

解答のコツ

　命題・対偶・三段論法の考え方を理解しておきましょう。

解説

　「消しゴムを持っている→□□□□→ボールペンを持っている」という三段論法が成り立てばよい。

　ア〜オの中で，「消しゴムを持っている→□□□□」となるのは，アの対偶である「消しゴムを持っている生徒は，定規を持っている」だけである。つまり，上の□□□□の中は，「定規を持っている」となり，「定規を持っている生徒は，ボールペ

ンも持っている」ということがいえれば，「消しゴムを持っている生徒は，ボールペンも持っている」がいえる。この「定規を持っている生徒は，ボールペンも持っている」というのは，エ「ボールペンを持っていない生徒は，定規も持っていない」の対偶である。

　したがって，アとエの2つがいえれば，「消しゴムを持っている生徒は，ボールペンも持っている」ということが確実にいえる。

　「消しゴムを持っている生徒は，定規を持っている」はイの裏，「定規を持っている生徒は，ボールペンも持っている」はウの逆，オの裏であるが，逆と裏は必ずしも正しいとは限らず，イ，ウ，オからは確実に「消しゴムを持っている生徒は，ボールペンも持っている」を導くことはできない。

　以上から，正答は**2**である。

正答
2

対応関係

理想解答時間 | 合格者正答率
3分 | 80%

A～Eの5人は，それぞれ野球，サッカー，テニス，卓球のうちの1つを趣味としている。以下のア～オがわかっているとき，正しくいえるものはどれか。

> 対応表を作って
> 考えよう！

ア　Aと同じ趣味の者はいない。

イ　B，C，Dは全員趣味とする競技が異なっている。

ウ　C，D，Eは全員趣味とする競技が異なっている。

エ　BもCもサッカーは趣味としていない。

オ　Dの趣味は野球かテニスである。

カ　Eの趣味は野球かサッカーである。

1　Aは卓球が趣味である。

2　Bはテニスが趣味である。

3　Cは卓球が趣味である。

4　Dは野球が趣味である。

5　Eはサッカーが趣味である。

この問題の特徴

　対応表を作って考える問題です。多くの問題を解いて対応表の作り方に慣れていけば，正答率が高くなります。

解答のコツ

　対応表を作って考えます。本問では，「趣味にしていない」種目から確定させていくのがコツです。

解説

　まず，B～Eについてわかることをまとめると表Ⅰのようになる。Aと同じ趣味の者はいないので，B～Eのうち少なくとも2人は同じ競技を趣味とすることになるが，B，C，Dはそれぞれ異なり（イ），C，D，Eもそれぞれ異なっている（ウ）ことから，BとEが同じ競技を趣味として

表Ⅰ

	野球	サッカー	テニス	卓球
A				
B		×		
C		×		
D		×		×
E			×	×

表Ⅱ

	野球	サッカー	テニス	卓球
A	×	○	×	×
B	○	×	×	×
C	×	×	×	○
D	×	×	○	×
E	○	×	×	×

いることになる。表Ⅰから，BとEが同じ競技を趣味とするなら野球しかないことになり，ここからDの趣味はテニスと決まる。そうすると，Cの趣味は卓球しかなく，残るAの趣味はサッカーとなる。

　よって，正答は**3**である。

正答
3

No.30

数量関係

理想解答時間 **4分**　合格者正答率 **70%**

1，2，3，3，4，5，6，7と書かれたカードがあり，これら8枚をA～Eの5人に1枚または2枚ずつ配ったところ，次のようになった。

　ア　Aのカードは2枚とも偶数だった。
　イ　Dは1枚だけ渡された。
　ウ　渡されたカードに書かれた数字の合計はBが8，Cは4，Eは6であった。

このとき，確実にいえるのは次のうちどれか。

1　3を2枚とも渡された人がいる。

2　Aが渡されたのは2枚とも4以下である。

3　1のカードはBに渡された。

4　Cには1枚だけ渡された。

5　Dが渡されたカードはすべて5以上である。

> 場合を分けて
> 考えてみよう

この問題の特徴

　だれがどのカードを持っているかの対応関係に，数字の合計なども絡んだ問題です。公務員試験では最近，このような数量関係の絡んだ問題が増えています。

　本問では，渡されたカードの数字の合計が（わかっている中で）最小のCについて場合を分けて考えるのが近道です。

解答のコツ

　渡された数字の合計が（わかっている中で）最小のCについて，場合を分けて考えましょう。

解説

　ウよりCには合計4になるようにカードが渡されたが，それは
　　①　4のみ1枚だけ
　　②　1と3の2枚
の2通りがある。
①Cに4のみが渡されたとき

　アよりAには2，6の2枚が渡されたことになる。するとウよりBには1，7もしくは3，5の2枚が渡されたことになるが，3，5が渡されたとするとEに合計6となるように渡すことはできない。よってBには1，7が，Eには3が2枚とも渡され，Dには残っている5が渡されたことになる。

　この時点で選択肢を確認すると，**2**以外はすべて成り立っている。
②Cに1，3の2枚が渡されたとき

　ウよりBには2，6もしくは3，5の2枚が渡されたことになるが，2，6が渡されたとするとAに2枚とも偶数を渡すことができず，アに矛盾する。よってBには3，5が渡され，このときウよりEには2，4の2枚または6が1枚だけが渡されることになり，アを考慮するとAに2，4が，Eに6が渡されたことになる。最後に，残った7がDに渡されたとわかる。

　①②より，確実にいえるのは**5**の「Dが渡されたカードはすべて5以上である」である。

正答 **5**

うそつき問題

理想解答時間 **4分**

合格者正答率 **70%**

A〜Dの4人が受けた試験の結果について，4人はそれぞれ以下のように述べているが，本当のことを述べているのは1人だけで，他の3人はすべてうそを述べている。合格したのが2人であるとき，合格した2人の組合せとして正しいものはどれか。

公務員試験の
定番問題

A　Bは合格した。

B　AとCのうち1人だけが合格した。

C　Bが言っていることは正しい。

D　Cが言っていることはうそである。

1　A, B

2　A, C

3　B, C

4　B, D

5　C, D

この問題の特徴

いくつかの発言者の中にうそつきが混じっている問題です。だれかの発言が正しい（あるいは誤り）と仮定して，矛盾が生じるかどうかを調べて解くのが一般的です。

解答のコツ

だれがうそつきかに言及している発言の内容をもとにして，グループ分けを行います。本問では本当のことを述べているのは1人だけなので，その1人を早く確定させると楽に解答できます。

解説

B，C，Dの発言について考えてみると，Cの発言から判断できることは，BもCも本当のことを述べているか，BもCもうそを述べているかのどちらかである。

本当のことを述べているのは1人だけなので，B，Cとも本当のことを述べていることはありえず，2人の発言はうそということになる。

そうすると，Dの発言が正しいことになるので，Aの発言もうそと決定する。

そこでBの発言を考えてみると，「AとCのうち1人だけが合格した」というのがうそなので，「AもCも合格した」または「AもCも合格しなかった」のどちらかとなる。「AもCも合格しなかった」という場合，合格した2人はBとDということになるが，それだとAの発言が正しいことになってしまう。

よって，「AもCも合格した」でなければならず，合格した2人はAとC。

以上から，正答は**2**である。

正答
2

平面図形

理想解答時間 **5分**

合格者正答率 **60%**

赤，青，黄，緑，黒の同じ大きさの正方形の折り紙が1枚ずつある。この5枚の折り紙を部分的に重なるようにして敷き並べ，次の図のように大きな正方形を作った。見えている部分の面積は，赤が240cm²，青が200cm²，黄が160cm²である。黒の折り紙の見えている部分の面積として，正しいものは次のうちどれか。

正方形の重なり方がポイント

1 48cm²

2 52cm²

3 56cm²

4 60cm²

5 64cm²

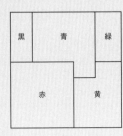

この問題の特徴

面積を求める問題ですが，計算問題というよりは，正方形の重なり方について考えさせる問題です。

解答のコツ

すべて見えている赤をもとにして，青と赤，青と黄の重なっている部分の面積を考えます。

解説

折り紙の1辺をx，大きな正方形の1辺を$x+y$とすると，黒の見えている部分の縦，黄の見えている部分の横（下）の長さがそれぞれyとなる。次の図のように，青と黄の重なっている部分の面積をa，赤と青の重なっている部分の面積をbとすると，青の見えている部分の面積は$xy+a=200$，黄の見えている部分の面積は$xy-a=160$となり，

$$(xy+a)-(xy-a)=2a=200-160=40$$

$$a=20$$

である。b部分の面積は$240-200=40$だから，$a:b=1:2$で，aの横の長さzはxの$\frac{1}{3}$となり，これは黒の見えている部分の横の長さと等しい。また，青の見えている部分のaを除いた面積は180だから，$x:y=240:180=4:3$となる。黒の見えている部分の縦（y）は折り紙の1辺の$\frac{3}{4}$，横（z）は$\frac{1}{3}$だから，その面積は，

$$240\times\frac{3}{4}\times\frac{1}{3}=60〔cm²〕$$

よって，正答は**4**である。

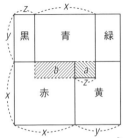

正答 **4**

空間図形

理想解答時間 | 合格者正答率
3分 | 70%

次の図のような正面図と平面図を持つ立体を側面から見た図として，可能性のあるものをすべて挙げたものはどれか。

見える2面から
推理する

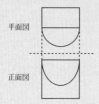
平面図
正面図

ア

イ

ウ

1　ア
2　イ
3　ウ
4　ア，イ
5　ア，ウ

この問題の特徴

　立体を正面から，側面から，上から見たときの見え方を考える「見取図」の問題です。

解答のコツ

　平面図・正面図とも2面が見える図になっているので，ア・イ・ウの上から，前から見える面を数えるようにします。

解説

　与えられた正面図と平面図から考えられる立体としては，次のⅠ，Ⅱのようなものが考えられる。

Ⅰ

Ⅱ

　Ⅰの場合の側面図はア，Ⅱの場合の側面図はウとなり，ここで正答は**5**とわかる。

　イは上から見える面が3面あるので，平面図がⅢのようになってしまう。

Ⅲ

正答
5

数量関係

理想解答時間 | 合格者正答率
3分 | **80**%

商品A，Bを同じ定価で販売している店がある。商品Bは商品Aの3倍売れたが，利益は同じであった。また，利益率（利益÷売上）は商品Aのほうが商品Bよりも，20％大きかった。Bの利益率は次のうちどれか。

基本中の基本

1　5%

2　10%

3　15%

4　20%

5　25%

この問題の特徴

2つの商品の売上と利益率に関する問題です。利益率の意味や「利益率は商品Aのほうが商品Bよりも，20％大きかった」ということの意味を整理することが求められます。

解答のコツ

Bの利益率をxと置くと，Aの利益率は$x+0.2$で表されます。また，Aの売上をy円とすると，Bの売上は$3y$円です。これらを活用します。

解説

商品A，Bの定価は同じで，BはAの3倍売れたのであるから，売上は，Aがy〔円〕とすると，Bは$3y$〔円〕となる。Bの利益率をxと置くと，利益率＝$\dfrac{利益}{売上}$だから，Bの利益は$3xy$となる。またAの利益率は$x+0.2$であるから，Aの利益は$(x+0.2)y$となる。これらが等しいから，$3xy=(x+0.2)y$　これを解いて$x=0.1$だから，Bの利益率は10％となる。

よって，正答は**2**である。

正答
2

整数の性質

理想解答時間 **3分**

合格者正答率 **80%**

1～50の自然数の中で，2，3，5のいずれかで割り切れるものの個数として正しいものはどれか。

1 30個

2 32個

3 34個

4 36個

5 38個

> 倍数と個数の関係に注目

この問題の特徴

整数や自然数の問題ですから，割ったときに分数や小数にはなりません。それを活用した解き方が求められます。

解答のコツ

「2で割り切れる自然数」とは，「2の倍数（2，4，6，8，…）ということです。そこで，倍数と個数の関係を理解するようにします。たとえば，2の倍数は連続する2個の自然数のうち1個，3の倍数は連続する3個の自然数のうちの1個です。これを押さえておくのがポイントです。

解説

1～50の自然数の中で，
　2で割り切れるのは，
　　50÷2＝25で25個
　3で割り切れるのは，
　　50÷3＝16…2より16個
　5で割り切れるのは，
　　50÷5＝10で10個
ある。

これらを単純に合計すると，
　25＋16＋10＝51〔個〕
であるが，ここから重複して数えているものを取り除く必要がある。

2と3の公倍数（＝6の倍数）は，｛6，12，18，24，30，36，42，48｝の8個

2と5の公倍数（＝10の倍数）は，｛10，20，30，40，50｝の5個

3と5の公倍数（＝15の倍数）は，｛15，30，45｝の3個
である。

この8個，5個，3個の合計16個を取り除くと，3回数えた30について3回取り除いてしまうので，結局，
　51－16＋1＝36〔個〕
となり，正答は**4**である。

正答 **4**

数量関係

理想解答時間 ▼▼▼▼ 4分　合格者正答率 50%

ある美術館には通常6秒に1人の割合で個人客が来館する。ある日この美術館に団体客が来ることになった。団体客を入館させている間に個人客が到着すると、その個人客は団体客の列の先頭に割り込ませて入館させることにした。団体客が全員入館し終えるのに、入場口を2か所開けると30分かかり、3か所では18分かかった。入場口を5か所にすると何分かかるか。ただし、入場口1か所につき毎分同人数ずつ人を通すものとする。

単純作業で正答できる

1　8分

2　9分

3　10分

4　11分

5　12分

この問題の特徴

「ニュートン算」と呼ばれる問題です。ニュートン算の仕組みを理解すればスムーズに解くことができます。

解答のコツ

以下の解説を読んで、これを機にニュートン算の仕組みを理解しましょう。文字を置いて解くと、単純作業だけで解くことができます。

解説

団体客の数をa人、1か所の入場口で毎分b人を入館させるとする。また、題意より毎分10人個人客がやってくることがわかる。2か所の入場口で扱える人数は、30分で団体客がすべて入館し終えるということから、$a+300$人となる。したがって、次の式が成り立つ。

　$a+300=2\times30b$〔人〕　…①

3か所の場合についても同様にして、

　$a+180=3\times18b$〔人〕　…②

①と②の連立方程式を解くと、$a=900$〔人〕、$b=20$〔人〕となる。

さて、5か所の入場口で団体客を全員入館させるのにt分かかるとすると、t分で入場させる団体客と個人客の入場者数の合計について次の式が成り立つ。

　$5\times20\times t=900+10t$　…③

③を解くと、$t=10$〔分〕となる。

よって、正答は**3**である。

正答 **3**

流水算

理想解答時間　合格者正答率

3分　**80%**

川の上流にあるA地点から下流のB地点まで船で下ると4分かかり，B地点からA地点まで船で上ると12分かかる。この川のA地点からB地点までボールを流すと，何分かかるか。

ただし，船自体の速さは上りのときも下りのときも一定であるものとする。

1 6分

2 8分

3 10分

4 12分

5 14分

流れと船の速さの関係を押さえよう

この問題の特徴

川の上流から下流へ，下流から上流へ船を進める問題は「流水算」と呼ばれ，数量関係の問題の定番パターンです。

解答のコツ

流れと船の速さの関係，上りと下りの速さの関係をしっかりとつかむことが，この問題を解くためのポイントです。

解説

船自体の速さを v，川の流れの速さを V とすると，下りの速さは船自体の速さに川の流れの速さが加わるために $v+V$，上りの速さは船自体の速さに対して川の流れが逆向きにかかるために $v-V$ で表される。速さとかかる時間の間には逆比が成り立つから，

$$(v+V) : (v-V) = \frac{1}{4} : \frac{1}{12}$$
$$= 3 : 1$$

変形して，

$$3 \times (v-V) = 1 \times (v+V)$$

$$3v - 3V = v + V$$
$$2v = 4V$$
$$v = 2V$$

これを下りの速さ $v+V$ に代入すると，下りの速さは $2V+V=3V$ となり，流れの速さの3倍に当たることがわかる。

よって，流れに従ってA地点からB地点までボールが流されたときにかかる時間は，ボール自体には船のように速さがないため，船の下りにかかる時間の3倍に当たり，$4 \times 3 = 12$〔分〕となる。

よって，正答は**4**である。

正答
4

場合の数

理想解答時間 **4分**

合格者正答率 **60%**

Aと書かれたカードが1枚、Bと書かれたカードが4枚、Cと書かれたカードが4枚、全部で9枚のカードがある。これらのうちから4枚のカードを選んで並べるとき、その並べ方は何通りあるか。

思いつきで数えてもダメ！

1　32通り

2　40通り

3　48通り

4　52通り

5　60通り

この問題の特徴

　最近の公務員試験で出題が増えている「場合の数」の問題です。思いつきで考えていっても混乱するだけですから、考え方の方針を決めて順序立てて考えていく必要があります。本問では、1枚しかないAを使うか使わないかで場合に分けます。

解答のコツ

　1枚しかないAを使う、使わないで場合に分けて考える。

解説

　1枚しかないAを使うとき、使わないときで場合分けをする。

①Aを使うとき

　残り3枚がBまたはCであるから、

　　A, B, B, B

　　　→並べ方は、4通り。

　　※ABBB, BABB, BBAB, BBBAと並べてみることもできますが、同じものを含む順列の考え方で、

$$\frac{4!}{1! \times 3!} = \frac{4 \times 3 \times 2 \times 1}{1 \times 3 \times 2 \times 1}$$

$$= 4 〔通り〕$$

という解き方を知っていると便利です。

　　A, B, B, C

　　　→並べ方は、12通り

　　A, B, C, C

　　　→並べ方は上と同じで12通り。

　　A, C, C, C

　　　→並べ方は、4通り。

以上で32通りある。

②Aを使わないとき

　4枚がBまたはCであるから、

　　B, B, B, B

　　　→並べ方は、1通り。

　　B, B, B, C

　　　→並べ方は、4通り。

　　B, B, C, C

　　　→並べ方は、6通り。

　　B, C, C, C

　　　→並べ方は、4通り。

　　C, C, C, C

　　　→並べ方は、1通り。

以上で16通りある。

したがって、題意の並べ方は32+16=48〔通り〕ある。

　よって、**3**が正答となる。

正答 **3**

立体の体積

次の図のように底面積が30cm²の水槽に氷を入れ，そこに水を入れたところ，水の深さは6cmとなり，水面の上に出ている氷の体積は140cm³となった。その後，氷がすべて解けたとき，水の深さは10cmになった。初めに入れた水の量はどれだけか。

ただし，氷が解けて水になるとき，その体積はもとの $\frac{11}{12}$ になるものとする。

氷が解けたときの水の全体積は？

1　50cm³
2　60cm³
3　70cm³
4　80cm³
5　90cm³

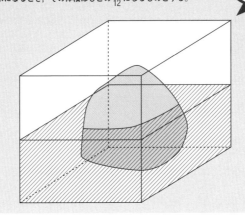

この問題の特徴

体積に関する問題はそれほど多くはありませんが，出題されたときに困らないように，その求め方を覚えておきましょう。

解答のコツ

本問では，氷がすべて解けたときの水の全体積を考えると解きやすくなります。

解説

初めに入っていた氷と水の体積の合計は，

140＋30×6＝320〔cm³〕

である。氷がすべて解けたとき，水の深さは10cmだから，その体積は，

30×10＝300〔cm³〕

で，20cm³だけ体積が減少している。この20cm³が氷の体積の $\frac{1}{12}$ に当たるから，

$20 \div \frac{1}{12} = 240$〔cm³〕

が氷の体積であり，最初に入れた水の体積は，

320－240＝80〔cm³〕

である。

よって，正答は**4**である。

正答
4

グラフの読み取り

理想解答時間 **3分**

合格者正答率 **80%**

図は，ある国における自動車の月別輸出台数とその前年同月比増加率の推移を示している。この図に関する記述ア〜ウの正誤を正しく組み合わせているのは次のうちどれか。

ア 2004年11月〜2005年2月の期間において，月別輸出台数は毎月減少している。

イ 2004年9月〜2004年12月の期間において，月別輸出台数が最も多かったのは11月である。

ウ 2004年9月〜2005年2月の期間において，月別輸出台数が500,000台を上回った月はない。

素早く
正確に
読み取れ！

	ア	イ	ウ
1	正	誤	正
2	正	正	誤
3	誤	正	正
4	誤	正	誤
5	誤	誤	誤

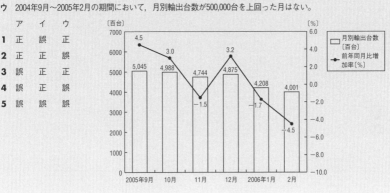

PART **III** 過去問の徹底研究

この問題の特徴

市役所との共通タイプでは数表の出題は少なく，グラフの出題が目立ちます。特に，本問のようなグラフによって時間の推移を追うものが多くなっています。

解説

グラフ中の月別輸出台数と前年同月比増加率に基づいて2004年9月〜2005年2月の月別輸出台数を計算すると，

2004年9月が $\dfrac{5045}{(1+0.045)}≒4828$ 〔百台〕

2004年10月が $\dfrac{4988}{(1+0.030)}≒4843$ 〔百台〕

2004年11月が $\dfrac{4744}{(1-0.015)}≒4816$ 〔百台〕

2004年12月が $\dfrac{4875}{(1+0.032)}≒4724$ 〔百台〕

2005年1月が $\dfrac{4208}{(1-0.017)}≒4281$ 〔百台〕

2005年2月が $\dfrac{4001}{(1-0.045)}≒4190$ 〔百台〕

となっている。以上の数値に基づいて，ア〜ウを検討すればよい。

ア○ 正しい。

イ✕ 誤り。2004年9月〜2004年12月の期間において，月別輸出台数が最も多かったのは10月である。

ウ○ 正しい。

以上より，**1**が正答となる。

正答 **1**

No.1 現代文（要旨把握）

理想解答時間 **4分**

合格者正答率 **70%**

キーワードが一目瞭然

次の文章を読んで，以下の問に答えなさい。

現代日本の主要都市の駅に降り立った時，どの駅前も似ていると感じる人が多いと思うが，それ以上に，これが日本の都市空間なのかと首をかしげる外国人も多いと思う。この似ているということに関しては，ヨーロッパの諸都市のどの旧都心も材料（石），構造（組積），空間構成が似ていて，旧都心の広場付近の景観は見分けがつきにくく，日本と同様であるという人もいる。しかし，よく観察するとヨーロッパの諸都市では丘陵地，川の取りこみも含めて，自然状況に対応したグランドデザインがあり，それを今も継承し続けていることが，空間構成としてまず，読み取れるということである。

次に，時代の異なる建築群が歴史的厚みを表現し，加うるに，その地域独特の建て方や材料，植栽，色彩等とあいまってその地域らしさが，その都市のたたずまいに覆い被さっている。もちろん，これはヨーロッパでも旧市街地のことであり，新市街地は日本やアメリカと似た状況も見られるが，それでも日本ほどひどいことはなく，何らかの形で旧市街地のたたずまいの延長線上にある。そして，よりうらやましく思えるのは，日本と同じ第二次世界大戦で壊滅した旧都心を復興するに際して，完全に近い形で昔の姿に戻した例がドイツには多いことで，日本では考えられなかったことである。

日本の都市の近代化が明治以後百年強のあいだに進行し，特に大都市は大戦後，戦災復興区画整理という類似の手法で全国一斉に進められ，さらに高度成長期に，その画一的近代都市計画手法が加速された。このうち，戦災復興区画整理は日本の主要な都市の顔である都心において行われたために，一般的区画整理以上に諸都市の類似感を強くしてしまったと言える。そして，その中を占める建築群も戦後の五十年弱の短期間に一斉に造られたために，歴史的な建築表現の厚みに欠け，それが駅前に象徴的に現われたと考えられる。これは，ミュンヘンにおいて，都心が最も古いミュンヘンらしい「たたずまい」を取り戻し，外周部へ行くほど近代化が進んでいったのと対照的に，日本では都心が最も画一的に近代化されてしまっているのである。そして，その地域の歴史性を継承し，その地域らしさを少々もっている旧市街地は都心を取りまく隣接部に残ってはいるが，残念なことには，そこには駅や商業中心，公共ゾーンなどその都市の顔となる地区や施設が存在していない。その意味では，一方で，都心に，その地域らしい記憶を取り戻し，そこをその都市らしいアイデンティティのある空間に再編成しながら，他方で，その都市の特徴を残している旧市街地と連担することでネットワークとしての「その都市らしさ」を形成してゆくことが重要である。

問　この文章の内容と一致するものとして，最も妥当なのはどれか。

1 日本の都市の近代化は明治以後百年強のあいだに進行したため，新市街地はヨーロッパやアメリカと似た状況も見られる。

2 ヨーロッパの新市街地も時代の異なる建築群が歴史的厚みを表現し，その地域らしさが，その都市のたたずまいに覆い被さっている。

3 ミュンヘンにおいては，その地域の歴史性を継承し，その地域らしさを少々もっている旧市街地が都心を取りまく隣接部に残ってはいる。

4 日本の主要な都市の建築群は戦後の短期間に一斉に作られたために，歴史的な建築表現の厚みに欠け，特に都心は最も画一的に近代化されている。

5 日本と同様に，ヨーロッパの諸都市のどの旧都心も材料（石），構造（組積），空間構成が似ていて，旧都心の広場付近の景観は見分けがつきにくい。

解説

1 ✕　誤り。新市街地が日本とヨーロッパやアメリカとで似ているのは，近代化が明治以後百年強の間に進行したからではない。

2 ✕　誤り。建築群が歴史的厚みを表現するのは，ヨーロッパでも旧市街地のことである。

3 ✕　誤り。ミュンヘンでは，都心が最も古いミュンヘンらしい「たたずまい」を取り戻したとある。

4 ◎　正しい。第3段落で述べている。

5 ✕　誤り。本肢のようにいう人もいるが，「よく観察するとヨーロッパの諸都市では」と，日本との違いを述べている。

正答 **4**

現代文（空欄補充）

理想解答時間 **3分** ▼▼▼

合格者正答率 **80%**

次の文章を読んで，以下の問に答えなさい。

前後の
文章の整合性を
チェック

　知を求めるとは，結局どういうことか。それは「それそのもの」として存在する「正しさ」，「美しさ」，「善」なるもの，いいかえれば「存在の本来的なるもの（ウーシア）」を探究し，それに触れるということであり，そこに「愛知」ということの本来の意味がある。ところが，人間は，そのような「真実在」（＝イデア）を感覚（視覚や聴覚など）によっては捉えることができない。感覚は相対的であり，またいわば肉体的な欲望にけがされているからだ。

　つまり，人は，どれほど強く知を求めようとしても，魂が肉体の欲望と混ざり合っているために，純粋な形でこの「存在そのもの」をつかむことはできない。だからこそ，知を求めるほどの人は，できるだけ肉体的な快楽や欲望から離れそれに影響を受けないように心掛けるのだ。しかし，われわれが真実の「存在そのもの」に触れうるためには，魂を肉体から分離し，魂をしてまさにその純粋な形で存在させたほうがよい。で，人が「死」と呼んでいるものは，まさしくそのような状態，[＿＿＿＿＿＿＿＿]という状態でないだろうか。

　問　[＿＿＿＿＿]に当てはまる語句として，最も妥当なのはどれか。

1　「魂と肉体の融合」

2　「魂と肉体のウーシア」

3　「魂と肉体の安らぎ」

4　「魂による肉体の完全支配」

5　「魂の，肉体からの解放と分離」

PART **III** 過去問の徹底研究

この問題の特徴

　東京消防庁では空欄補充問題はよく出題されています。前後の文章との整合性があるものを選ぶようにしましょう。

解答のコツ

　空欄補充の問題では，空欄の前後および選択肢自体がヒントとなります。本文の場合は，空欄の後ろはないので，前に注目してみるとよいでしょう。

解説

　本問では，空欄の直前にある「まさしくそのような状態，」が大きなヒントになる。つまり，本問では「魂を肉体から分離し，魂をしてまさにその純粋な形で存在させたほうがよい」とほぼ同義の言葉が空欄に入る。すると，魂と肉体の分離についてストレートに触れている**5**が正答となる。

正答 **5**

現代文（文章整序）

理想解答時間　5分　｜　合格者正答率　40%

> 東京消防庁でよく出る！

次の□□□□の文に続けてA〜Eを並べかえ，意味の通る文にするとき，その順序として，最も妥当なのはどれか。

　通信や情報の高速化によって，異種の文化がしだいに排除されていくという懸念は現実であろうか。然り，そのとおりである。

A　それと同時に，他者についてより良き認識をもつとか，異質なものに対して寛容になるとか，異質な者どうしが互いに敬意を払うようになるとか……そうした姿勢もそこからうまれてくるにちがいない。寛容とはほんらい消極的努力にすぎないものであって，それを積極的な受け入れと姿勢を変えればすむことなのだ。

B　現代の技術は二十一世紀にもさらに進歩し，たぶん思いがけない出来事を用意してくれることであろう。事実，私たちはいま，その規模に気づかないまま，進化の新たな一段階に立ち会っているのである。そのような進化は，情報科学のおかげで，そして，ある程度言語の壁が取り払われたおかげで，今日までは不平等きわまりない階層をなしていた人間精神が，お互いに触れあうことが可能となってきたからである。

C　だが，これは，肯定的な結果をもたらしうることを考えるなら，果たして真の逆説のひとつといえるであろうか。地球上の端から端まで，音と映像が瞬時に届くということはたいへん大事なことであり，そこからは新たな帰属意識が——もはや特定の人間集団ではなく，ひとつの全体としての人類の一員なのだという帰属意識がうまれ，その結果，紛争の根本をなす蔑視の源を消し去ることができるにちがいない，と思えるからである。

D　伝統や，民族衣装を復活させようという努力が，ひとことでいえば文化のアイデンティティを守ろうという努力が，世界各地でなされているにもかかわらず，異種文化の凋落は目を覆うほどである。文化的アイデンティティを単なるフォークロアに変えてしまうまいと，必死の努力が重ねられているにもかかわらず，この趨勢は止めがたい。

E　他者を蔑視しないというだけでは不十分であり，他者が自分と同等であることを認めなければならない。サン＝テグジュペリが見事に言ってのけたように，「もしもきみがぼくと違っているなら，きみはぼくを豊かにしてくれるんだよ」。

1　B→C→E→A→D
2　B→D→A→E→C
3　C→A→D→B→E
4　D→B→C→A→E
5　D→C→A→E→B

この問題の特徴

　東京消防庁では文章整序問題はよく出題されています。接続詞や指示語をヒントに考えるのが解答の第一歩ですが，本問では文の内容に踏み込んで考えなければならないので，難しい問題といえます。

解説

　Cは，「だが，…果たして真の逆説のひとつといえるであろうか」と述べた後に，特定の人間集団ではなく，人類に対して帰属意識が生まれるとしている。したがって，Cの直前には特定の人間集団に対する帰属意識を説明した文が入る。それに当てはまるのは，文化のアイデンティティに触れたDである。

　Aは，「それと同時に」に続けて他者や異質なものに対して「寛容になる」「敬意を払う」などの姿勢が「そこ」からうまれてくるとしている。この「それ」「そこ」はCの「蔑視の源を消し去る」である。

　以上から，正答は5とわかる。

正答 5

古文（内容把握）

理想解答時間 **5分** | 合格者正答率 **60%**

難易度は
高くない！

次の文章を読んで，以下の問に答えなさい。

　おほかたいにしへを考ふること，さらに一人二人の力もて，ことごとく明らめ尽くすべくもあらず。またよき人の説ならんからに，多くの中には，誤りもなどかなからん。必ず悪きことも混じらではたあらず。そのおのが心には，「今はいにしへの意ことごとく明らかなり，これをおきては，あるべくもあらず。」と思ひ定めたることも，思ひのほかに，また人の異なるよき考へもいでくるわざなり。あまたの手を経るまにまに，さきざきの考への上を，なほよく考へきはむるからに，次々に詳しくなりもてゆくわざなれば，師の説なりとて，必ずなづみ守るべきにもあらず。よきあしきを言はず，ひたぶるに古きを守るは，学問の道には，言ふかひなきわざなり。

　問 この文章の内容と一致するものとして，最も妥当なのはどれか。

1　学問の世界において，一途に古いものを守ることが最もよいとされる。

2　古典の研究は決して一人でするものではない。

3　古典の研究は，後の人の考え方とは異なるものなので，師の説に従うほうがよい。

4　優れた学者は，古代の道理を完全に明らかにすることができる。

5　学問の道を志すものは，先生の説にこだわらなくてもよい。

この問題の特徴

　本居宣長『玉勝間』を出典とする問題です。随筆や説話集が出典となることが多く，本文の分量は標準的です。

解答のコツ

　内答把握の場合は，文章全体の要旨をつかむ必要はありません。本文の場合は，選択肢の**3**と**5**の内容が対立していますので，どちらかが誤りでどちらかが正しいのではないかと予測しながら読むとわかりやすいでしょう。

解　説

1×　誤り。最後の文で，ただ古い説を守ることを否定している。

2×　誤り。このようなことは述べていない。

3×　誤り。師の説であってもそれにとらわれることはないとしている。

4×　誤り。優れた人の説であっても，多くの中には誤りも混じるとしている。

5◎　正しい。「師の説なりとて，必ずなづみ守るべきにもあらず」としている。

正答
5

空欄補充

理想解答時間 **1分**

合格者正答率 **60%**

次の英文を「ボブは10年以上日本に住んでいるので，日本の礼儀作法に慣れています」という意味の文にするために（　）に入れるものとして，最も妥当なのはどれか。

基本レベルの
英文法問題

Since Bob has lived in Japan for over 10 years, he（　）Japanese manners.

1 adapts

2 is accustomed to

3 is comfortable to

4 is familiar to

5 used to

この問題の特徴

　東京消防庁で出題される英語はほとんど文法問題で，出題形式は空欄補充問題となっています（英文読解問題は文章理解で出題されています）。

　本問のように与えられた英文の一部分に空欄が設けられ，設問文には日本語の全訳が提示されているパターンが多いです。空欄に当てはまる単語を入れて，提示された日本語訳と合う英文にする問題です。

　高校の英語の授業で学んだ英単語や英熟語が問われていますが，なかには，中学時代に学んだ基礎事項が問われている年度もあり，全体として難易度は高くありません。

解答のコツ

　「～に慣れている」にマッチする英熟語を探すと，**2**だけです。**5**の「used to」と勘違いしやすいですが，「used to」のままで用いると，「よく～したものだ」と過去の習慣を表し，「～に慣れている」の意味になるには，「be（get）used to＋名詞（動名詞）」の形をとる必要があります。

解説

1 ✕　誤り。「adapts」は他動詞で，「適応させる」の意味。

2 ◎　正しい。「is accustomed to」は「～に慣れる」の意味。

3 ✕　誤り。「is comfortable to」の「comfortable」は「快適な」の意味。

4 ✕　誤り。「is familiar to」の「familiar」は「よく知っている」の意味。

5 ✕　誤り。「used to」は過去の習慣で，「よく～したものだ」の意味。

正答
2

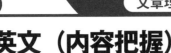

英文（内容把握）

理想解答時間 **5分** / 合格者正答率 **60%**

「働き方」「学び方」などの英文がよく出る

次の文章を読んで，以下の問に答えなさい。

The Education Ministry has set up a panel of experts to overhaul English education.　It is certainly a pity to see that many Japanese people, who have studied English for 10 years from middle school to college are unable to hold a conversation in English.　It is to be hoped that the panel members will take this opportunity to thoroughly debate the issue.

With the rapid proliferation of the Internet and progress in international exchanges, it appears inevitable that English will become the common global language.　Japanese will not be able to play certain kinds of roles in the international community if they do not have a good command of the language.

In reality, however, nobody would dispute that the English skill of ordinary Japanese is poor.　It is evident in the scores of the Test of English as a Foreign Language (TOEFL), an English proficiency test that U.S. and Canadian universities require foreign students to take before they submit entrance applications.　The average score of Japanese taking the test during the past year ranked 18th among 21 Asian countries and territories.

The reasons often cited for Japan's poor showing are that the language structure of English is very different from that of Japanese, and that a large number of Japanese people take TOEFL nowadays.　But considering the fact that South Korea, which has a higher percentage of TOEFL examinees per capita than Japan does, ranked 9th, one cannot help but point the finger at Japan's English education system, among others.

問　この文章の内容と一致するものとして，最も妥当なのはどれか。

1　インターネットの普及は英語の共通語化を押しとどめている。

2　これからの日本人は英語を使いこなせなければ国際社会で一定の役割を果たすことができないだろう。

3　TOEFLの受験者数は，韓国よりも日本のほうが多い。

4　英語と日本語の構造は非常に似ている。

5　日本の英語教育に原因があるとは考えられていない。

PART III 過去問の徹底研究

この問題の特徴

「働き方」や「学び方」に関する文章は比較的出題が多いので，要注意です。本問では日本の英語教育について国際比較などを交えながら述べられています。

解説

1✕　誤り。インターネットの普及は英語の共通語化を進めている。

2◎　正しい。第2段落末尾の文で述べている。

3✕　誤り。日本よりも韓国のほうが多い。

4✕　誤り。英語と日本語の構造は非常に異なっている。

5✕　誤り。英語教育に原因があると最終文で述べている。

正答 **2**

No.7

暗号

「とうもろこし」を暗号で「4sin θ 5cos θ sin θ 3cos θ 7sin θ 5cos θ 9sin θ 5cos θ 2sin θ 5cos θ 3sin θ 2cos θ」と表すとき,「ひまわり」を表す暗号として妥当なのはどれか。

パズル感覚で挑め！

1　8sin θ　2cos θ　7sin θ　cos θ　sin θ　　9cos θ　2sin θ　9cos θ

2　6sin θ　2cos θ　7sin θ　cos θ　10sin θ　cos θ　　9sin θ　2cos θ

3　2sin θ　6cos θ　sin θ　7cos θ　sin θ　10cos θ　2sin θ　9cos θ

4　3sin θ　2cos θ　2sin θ　5cos θ　sin θ　10cos θ　8sin θ　cos θ

5　2sin θ　3cos θ　5sin θ　2cos θ　10sin θ　cos θ　　sin θ　8cos θ

この問題の特徴

　東京消防庁では暗号の問題が出題されます。初めに記号の数と,対応する文字の数をそろえることが必要です。

解答のコツ

　sin θ や cos θ が出てきたからといって,いきなり慌てて計算などする必要はありません。「とうもろこし」（5文字）に対して,4sin θ などのパーツが10個あり,「ひまわり」（4文字）に対しては,選択肢から同様に8個のパーツがあることがわかります。そこから1文字が2パーツに対応していると予測を立ててみるとよいでしょう。

解説

　実は,sin θ や cos θ には意味はなく,その係数に注目すればよい。sin θ の係数は「1」である。

```
      と　う　も　ろ　こ　し
      45  13  75  95  25  32
```
より,はじめの数字が仮名の行（あかさたなはまやらわ），後の数字が仮名の段（あ

いうえお）を表していることがわかる。
　したがって,「ひまわり」を表すのは,
```
      ひ　ま　わ　り
      62  71  101  92
```
より,
「6 sin θ 2 cos θ 7 sin θ cos θ 10 sin θ cos θ 9 sin θ 2 cos θ」
である。
　よって,正答は**2**である。

No.8 うそつき問題

理想解答時間 **4分**　合格者正答率 **60%**

A, B, C, D, E, Fの6人の中に犯人が1人いる。6人はそれぞれ次のように話している。また，本当のことを話したのは4人で，他の2人は嘘をついていることがわかっている。このとき，犯人である可能性のある者として妥当なのはどれか。

うそつき
問題は頻出！

A「私は犯人ではない」

B「犯人はFである」

C「Eは本当のことを話している」

D「犯人はAである」

E「犯人はBではない」

F「犯人はCではない」

1　AとDとE

2　AとEとF

3　DとEとF

4　BとD

5　CとE

この問題の特徴

発言者の中にうそつきが混じっている問題です。だれかの発言が正しい（あるいは誤り）と仮定して，矛盾が生じるかどうかを調べて解くのが一般的です。

解答のコツ

Aが犯人と仮定したときに得られる結果が条件と矛盾しないかを調べます。以下，順にBが犯人であるとき，Cが犯人であるとき，……とFまで仮定します。

解説

①Aが犯人のとき

　A＝うそつき，B＝うそつき，C＝正直，D＝正直，E＝正直，F＝正直
より，矛盾は生じないので「Aが犯人」はありうる。

②Bが犯人のとき

　A＝正直，B＝うそつき，C＝うそつき，D＝うそつき，E＝うそつき，F＝正直
より，矛盾を生じるので「Bが犯人」は

ありえない。

③Cが犯人のとき

　A＝正直，B＝うそつき，C＝正直，D＝うそつき，E＝正直，F＝うそつき
より，矛盾を生じるので「Cが犯人」はありえない。

④Dが犯人のとき

　A＝正直，B＝うそつき，C＝正直，D＝うそつき，E＝正直，F＝正直
より，矛盾は生じないので「Dが犯人」はありうる。

⑤Eが犯人のとき

　A＝正直，B＝うそつき，C＝正直，D＝うそつき，E＝正直，F＝正直
より，矛盾は生じないので「Eが犯人」はありうる。

⑥Fが犯人のとき

　A＝正直，B＝正直，C＝正直，D＝うそつき，E＝正直，F＝正直
より，矛盾を生じるので「Fが犯人」はありえない。

以上より，犯人である可能性があるのは「A，D，E」の3人である。

よって，正答は1である。

正答 1

手順

ちょうど9ℓと5ℓが入るポリタンクがそれぞれ1つずつある。これら2つのポリタンクを使い、川からちょうど3ℓの水をくみたい。最低何回ポリタンクを使えばよいか。ただし、1つのポリタンクに水を出し入れするごとに1回と数えるものとする。

1　6回

2　7回

3　8回

4　9回

5　10回

**古典的な
知能問題**

この問題の特徴

この問題は「油分け」と呼ばれる古典的な問題で、容量の大きいものから小さいものへ移していくのが基本です。

解答のコツ

9ℓのポリタンクいっぱいに水をくみ、それを5ℓのポリタンクに入るだけ（つまり5ℓ）移すと、その差である4ℓの水が9ℓのポリタンクに残ります。この手順を応用して解いていきます。

解説

手順を表形式で示すと、

手順	9ℓ	5ℓ	
1	9	0	←9ℓでくむ
2	4	5	←5ℓに移す
3	4	0	←5ℓを捨てる
4	0	4	←5ℓに移す
5	9	4	←9ℓでくむ
6	8	5	←5ℓに移す
7	8	0	←5ℓを捨てる
8	3	5	←5ℓに移す

より、8回で3ℓとすることができる。
よって、正答は**3**である。

正答
3

位置関係

理想解答時間	合格者正答率
3分	70%

ある事務所の部屋はA〜Fの6つあり，廊下をはさんで次の図のように配置されている。ア〜Eの配置関係がわかっているとき，Bの部屋として妥当なのはどれか。ただし，Aの部屋の位置は図に示す位置とする。

ア　Aの右隣は総務課で，総務課の前はBで，Bの隣はCである。

イ　厚生課の前は人事課で，人事課の隣は職員課である。

ウ　Dの前はEで，Eの隣は厚生課である。

エ　広報課とEは，同じ側に配置されている。

右・左の さす方向にも 注意

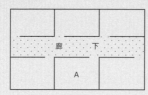

1　総務課
2　人事課
3　職員課
4　広報課
5　厚生課

この問題の特徴

区画の中に入る人と部署を求める問題です。右・左のさす方向に注意が必要です。

解説

まず，アからAの右隣を図の右下と考えると①のようになる。

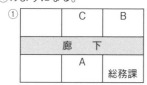

次にウよりDとEは向かい合う部屋で，これはAから見て左側である。このとき厚生課はAまたはCとなる。

さらにエよりEとその隣の厚生課，広報課が同じ側にあることから，C＝厚生課，B＝広報課と決まる。②の時点で，正答の選択肢は**4**であることがわかる。

次に，Aの右隣を廊下側から見て右と考えてみる。このとき③のようになり，やはりB＝広報課となる。

よって，正答は**4**である。

正答 4

No.11

展開図

次の展開図を組み立てたとき，面Aと平行になる面として正しいのはどれか。

紙に描いて
考えよう

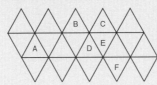

1 B
2 C
3 D
4 E
5 F

この問題の特徴

正二十面体の展開図に関する問題です。正二十面体の展開図を頭の中で考えるのは混乱のもと。シンプルな形でよいので，紙に描いて考えるとよいでしょう。

解答のコツ

正多面体の展開図において，組み立てたときに平行になる2面の位置関係については覚えておくとよい知識です。正二十面体の場合は，「連続する6個の面の両端」が平行になります。

解説

組み立てたときに平行になる2面の位置関係は，次のようになっている。

したがって，面Aと平行になるのは面Eである。

よって，正答は**4**である。

正答
4

位相と経路（一筆書き）

理想解答時間 **1**分　合格者正答率 **70**%

次の図は，ある建物の部屋と部屋の出入り口の配置を示したものである。すべての出入り口を1回ずつ通過したい。このとき，最初に出発すべき部屋と，最後に到着する部屋の組合わせとして最も妥当なのはどれか。

ルールさえ
知っていれば
即答可能

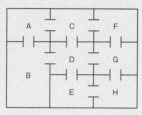

	出発	到着
1	A	E
2	B	F
3	C	G
4	D	H
5	A	G

この問題の特徴

一筆書きの問題です。試行錯誤してもよいのですが，ルールを知っていれば素早く解ける問題です。

解答のコツ

一筆書きのポイントは「偶点・奇点」の数です。一筆書きができるためには，奇点が0または2つでなければなりません。

解説

与えられた図を簡略化すると，右のようになる。

A～Hの各点のうち，奇点（その点を通る線分の本数が奇数であるような点）はCとGの2点だけであるから，この図形は一筆描きが可能であるが，そのためには奇点から描き始め，もう1つの奇点で描き終わらなければならない。

したがって，点Cから始めて点Gで終わる（またはその逆）とすればよい。

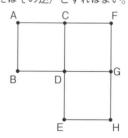

よって，正答は**3**である。

正答
3

131

立体の切断

理想解答時間 **2分** 合格者正答率 **70%**

次の図のような，24個の同じ大きさの小立方体を組み合わせた立体を，A，B，Cの3点を通る平面で切断したときの切断面の形として，最も妥当なのはどれか。

一見複雑でも整理して考えれば解ける

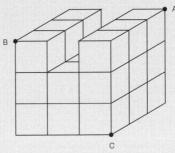

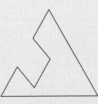

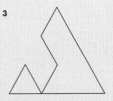

この問題の特徴

立体の切断は，一見複雑でも，整理して考えれば正答できます。

解説

立体を「3点を通る平面」で切断するときは，同一面上にある2点を結ぶ切断線を考える。

すると切断面は，次のようになる。

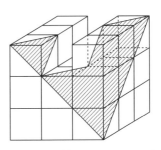

よって，正答は**3**である。

正答 **3**

覆面算

次の掛け算の式のA～Fのアルファベットにはそれぞれ0～9の異なる整数が入る。
A＋B＋C＋D＋E＋Fの値として正しいのはどれか。

まずはAの範囲を絞り込め

```
    A B
  × A C
    D A
  B E
  F F A
```

1　27

2　28

3　29

4　30

5　31

この問題の特徴

筆算の式の中に記号を入れて，その記号が表す数字を求める本問のような問題を覆面算といいます。

解答のコツ

まず，Aの範囲を絞り込みます。2ケタどうしで掛けたときの積が3ケタになることから，Aは1～3のいずれかとわかります。

解説

Aが4以上だと積が4ケタになってしまうので，Aは1～3のいずれかである。

①A＝1のとき

B×Cの一の位がA＝1になることから，B×Cは3×7（または7×3）のみである。

しかしこれではA×Bの一の位がB

になってしまうので，条件を満たさない。

②A＝2のとき

B×Cの一の位がA＝2になることから，B×Cは3×4，6×7，8×9（それぞれの逆もありうる）のいずれかである。

ここでB＝4，C＝3とすると，以下のような計算が成り立つので条件をすべて満たす。

```
    24
  × 23
    72
   48
  552
```

したがってA＝2，B＝4，C＝3，D＝7，E＝8，F＝5より，

A＋B＋C＋D＋E＋F＝2＋4＋3＋7＋8＋5＝29

よって，正答は**3**である。

正答
3

速さと時間・距離

理想解答時間 5分

合格者正答率 60%

A君は甲町に，B君は乙町に住んでいる。この2つの町は13km離れており，1本道でつながっている。ある日A君は乙町へ，B君は甲町へ向かい同時に出発した。甲町寄りのトンネルの長さは2.4kmとわかっているが，乙町寄りのトンネルの長さはわからない。2人の進む速さは同じであり，トンネルの中は暗いため普通より遅く毎分80mで進むが，それ以外は毎分100mで進む。2人は出発してから1時間10分後に丙地点で出会った。乙町寄りのトンネルの長さはいくつか。

数的推理の頻出テーマの1つ

甲町　　トンネル　　　　　　　　　　　　トンネル　　　乙町

丙地点

1 1.2km

2 1.4km

3 1.6km

4 1.8km

5 2.0km

この問題の特徴

　ある地点と別の地点の間で人が行き来するときの，速度や時刻，すれ違ったり追い抜いたりする場所，に関する問題は数的推理の頻出テーマの1つです。

　本問ではまず，かかった時間から，丙地点までの距離を求めます。

解説

　甲町から丙地点までは1時間10分＝70分かかっているが，そのうちトンネルが2.4km＝2400mあったことから，トンネル以外の距離は

$$100\text{m/分} \times \left(70\text{分} - \frac{2400\text{m}}{80\text{m/分}}\right)$$

$$= 100\text{m/分} \times (70\text{分} - 30\text{分})$$

$$= 100\text{m/分} \times 40\text{分}$$

$$= 4000\text{m}$$

　したがって，甲町から丙地点までの距離は

$$4000\text{m} + 2400\text{m} = 6400\text{m} = 6.4\text{km}$$

なので，乙町から丙地点までの距離は

$$13\text{km} - 6.4\text{km} = 6.6\text{km} = 6600\text{m}$$

である。この距離がすべて普通の道なら，

$$\left(\frac{6600\text{m}}{100\text{m/分}} =\right) 66\text{分で済むことになる。}$$

　このうち，仮に800mがトンネルであると，普通の道なら8分で行けるところが

$$\frac{800\text{m}}{80\text{m/分}} = 10\text{分}$$

かかることになり，2分遅くなる。

　実際には，70分－66分＝4分遅くなっているから，トンネルの長さは

$$800\text{m} \times \frac{4\text{分}}{2\text{分}} = 1600\text{m} = 1.6\text{km}$$

である。

　よって，正答は**3**である。

正答 **3**

確率

理想解答時間	合格者正答率
♥♥♥♥ **4分**	**50%**

AとBの2人がじゃんけんで勝負をすることにした。先に3勝したほうを勝者とするとき，4回目のじゃんけんでAが勝者となる確率はいくらか。ただし，あいこも1回と数えるものとする。

正答できれば差をつけられる

1 $\dfrac{2}{9}$

2 $\dfrac{5}{9}$

3 $\dfrac{1}{27}$

4 $\dfrac{2}{27}$

5 $\dfrac{1}{81}$

解答のコツ

4回目のじゃんけんで勝者になるのは，「1～3回目のうち2回だけ勝ち，4回目に勝つ」ということです。この考え方を使って解きます。

この問題の特徴

「確率」の問題は「場合の数」と並んでよく出題されるテーマです。その中で，じゃんけんは身近なテーマですが，「あいこ」を忘れがちなので注意しましょう。

解説

Aが1～3回のうち2回だけ勝ち，4回目に勝つ場合は（勝ちを○，負けを×，あいこを△とすると），

① ○○×○
② ○○△○
③ ○×○○
④ ○△○○
⑤ ×○○○
⑥ △○○○

の6通りがある。

AがBに勝つ，AがBに負ける，あいこはいずれも確率 $\dfrac{1}{3}$ であるから，求める場合の確率は

$$\dfrac{1}{3}\times\dfrac{1}{3}\times\dfrac{1}{3}\times\dfrac{1}{3}\times6=\dfrac{2}{27}$$

である。

よって，正答は**4**である。

正答
4

平面図形（円）

理想解答時間 **3**分 ／ 合格者正答率 **60**%

次の図のように，半径1の円を7つ集め，その周りを紐でしばりたい。紐の長さとして最も妥当なのはどれか。

視点を変えれば
簡単に解ける

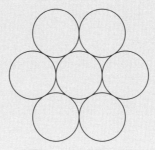

1 $10+2\pi$

2 $10+4\pi$

3 $12+2\pi$

4 $12+4\pi$

5 6π

この問題の特徴

平面図形の辺の長さや面積を求める問題です。「三平方の定理」などが必要になる場合もありますが，本問では少し視点を変えるだけで簡単に正答できます。

解答のコツ

外側の円に接している部分に掛かる紐の長さは，合計で半径1の円の円周1周分に当たります。

解説

紐は右図のように掛かる。

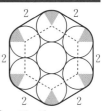

ここで，六角形の頂点に当たる部分（色を付けた部分）を合わせると，ちょうど円1つ分になっている。

したがって，求める長さは

$2×6+2×1×\pi＝12+2\pi$

である。

よって，正答は**3**である。

正答
3

数表の読み取り

理想解答時間 **5分**　合格者正答率 **70%**

次の表は，ある年における国別のGDPと1人当たりのGDPおよび人口密度を示している。この表から判断できることとして，最も妥当なのはどれか。

実数の数表問題

国名	GDP（百万米ドル）	1人当たりGDP（米ドル）	人口密度（人/km²）
A	4,744,660	37,408	340
B	152,226	720	111
C	461,519	9,853	476
D	91,473	22,755	6,049
E	122,569	2,012	121
F	1,079,386	846	133
G	74,862	989	254

1 C国の人口は，D国の人口の10倍を上回っている。

2 A国の面積は，B国の面積の$\frac{1}{3}$を上回っている。

3 この7か国の平均人口は2億人を下回っている。

4 E国の面積は，G国の面積の2倍以上である。

5 F国の人口は13億人を超えている。

この問題の特徴

数表の問題は，東京消防庁では例年1問出題されています。本問は実数についての問題なので，戸惑うことはないでしょうが，計算力は必要とされています。

解説

この表から人口と面積を求めるには次の計算をする。

人口＝GDP÷1人当たりGDP
面積＝人口÷人口密度

これをもとに，必要な数値を算出すると次の表のようになる。

国名	人口（百万人）	面積（km²）
A	126.8	372,941
B	211.4	1,904,504
C	46.8	
D	4.0	
E	60.9	503,305
F	1275.9	
G	75.7	298,031
合計	1801.5	
平均	257.4	

1◎ 正しい。C国の人口はD国の10倍以上である。

2✕ 誤り。A国の面積はB国の約$\frac{1}{5}$である。

3✕ 誤り。7か国の平均人口は約2億5,000万人である。

4✕ 誤り。E国の面積はG国の面積の2倍に満たない。

5✕ 誤り。F国の人口は約12億7,500万人である。

正答 **1**

グラフの読み取り

理想解答時間
2分

合格者正答率
80%

次のグラフは，1月から6月に実施された定期テストの科目別平均点を示したものである。このグラフから判断できるものとして，最も妥当なのはどれか。

必ず正答したい易しい問題

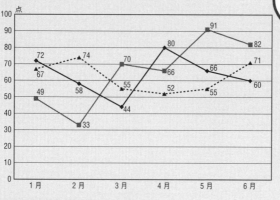

1 各月の平均点を見た場合，最も低い月は3月である。

2 2月の英語の得点を100とした場合，6月のそれは250を超えている。

3 各科目の平均点を見た場合，最も高いのは英語である。

4 2月から4月までを見たとき，対前月増減率が最も大きい科目は4月の国語である。

5 4月から6月までを見たとき，対前月増減率が最も小さい科目は4月の英語である。

この問題の特徴

本問はグラフの読み取りも容易ですし，2ケタの計算で解答できるので，易しい問題といえます。

解説

1× 誤り。本問では3科目の合計得点を比較すればよいので，平均点まで計算する必要はない。

3月の合計点は，70＋55＋44＝169

2月の合計点は，74＋58＋33＝165

よって，2月のほうが低い。

2× 誤り。2月の英語の得点33を2.5倍すると82.5だが，6月の英語の得点は82であり，82.5に達していない。

3◎ 正しい。これも1と同様に合計得点を比較すればよい。すると，

英語：49＋33＋70＋66＋91＋82＝391

国語：72＋58＋44＋80＋66＋60＝380

数学：67＋74＋55＋52＋55＋71＝374

であるから，平均点が最も高いのは英語である。

4× 誤り。右上がりの傾きが急な線を比較する。4月の国語の対前月増減率は，80÷44＝1.82であるのに対し，3月の英語の対前月増減率は，70÷33＝2.12である。

5× 誤り。4と同じ要領で比較検討すると4月の数字の増減率のほうが小さい。

正答 **3**

グラフの読み取り

理想解答時間 **5分** 合格者正答率 **70%**

計算せずとも解答できる

次の記述の A ， B に当てはまるものの組合せとして，最も妥当なのはどれか。

次のグラフは，ある国のおもな輸出品の輸出額の割合の推移を表したものである。1980年に対する2005年の輸出額の増加率が最も大きいのは A であり，増加額が最も大きいのは B である。

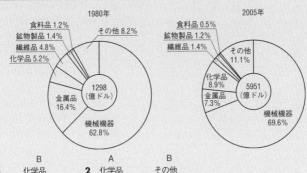

	A	B		A	B
1	機械機器	化学品	**2**	化学品	その他
3	鉱物製品	その他	**4**	その他	機械機器
5	化学品	機械機器			

この問題の特徴

グラフの性質を理解していれば余計な計算をせずに正答できる問題です。やみくもに計算しようとする前に落ち着いて考えましょう。

解　説

A：化学品が当てはまる。

1980年と2005年の輸出総額を比較すると，約4.5倍になっている。したがって，1980年に10%，2005年に10%の品目の輸出額も約4.5倍である。つまり，割合のパーセンテージを増加させた品目が輸出額の増加率も大きくなる。したがって，検討すべきなのは「機械機器」「化学品」「その他」の3つである。

機械機器：69.6÷62.8＝1.11
化学品　：8.9÷5.2＝1.71
その他　：11.1÷8.2＝1.35

より，化学品の増加率が最も大きい。

B：機械機器が当てはまる。

選択肢を見れば，検討すべきなのは「機械機器」「その他」の2つだけである。

①機械機器：
1980年の輸出額 1298×0.628＝815.1
2005年の輸出額 5951×0.696＝4141.9
増加額 4141.9－815.1＝3326.8

②その他
1980年の輸出額 1298×0.082＝106.4
2005年の輸出額 5951×0.111＝660.6
増加額 660.6－106.4＝554.2

よって，正答は**5**である。

正答 **5**

基本的人権

理想解答時間 **3分**　合格者正答率 **90%**

わが国の基本的人権に関する記述として，最も妥当なのはどれか。

1 憲法14条は法の下の平等を定めているが，合理的な区別は認められており，不合理な差別的取り扱いだけが禁止される。

2 憲法19条は，思想・良心の自由を保障しているが，民主主義を否定する思想についてまでは，その保障は及ばない。

3 憲法20条の保障する信教の自由には，宗教上の結社の自由までは含まれない。

4 憲法21条の表現の自由は，基本的人権の中でも重要なものであるから，制限することは許されない。

5 憲法22条1項は職業選択の自由を保障しているが，営業の自由までも保障しているわけではない。

> 基本的人権の
> 理解は徹底的に

この問題の特徴

本問は，1問で憲法上の複数の基本的人権を問う問題です。このような出題のしかたは，最近の東京消防庁の試験で目立ちます。したがって，基本的人権の分野は基礎知識を幅広く押さえておく必要があるといえます。

基礎的な知識を問う問題ですから，正答率は，初学者で50%，受験時で90%以上であると推測できます。

選択肢の難易度

すべての選択肢が基礎的な知識ですが，条文のそれ自体の知識をストレートに問うものはなく，条文に関連した，判例や一般的な学説の知識が問われています。

解説

1◎ 正しい。本肢のとおりである。

2× 誤り。思想・良心の自由の保障は，人の精神活動が内心にとどまる限り，絶対的に保障するとするものである。よって，民主主義を否定する思想であっても，それが内心にとどまる限りは絶対的に保障される。

3× 誤り。信教の自由には，信仰を同じくする者が宗教団体を設立し活動することなどを内容とする，宗教的結社の自由も含まれる。

4× 誤り。優越的地位が与えられるとされる表現の自由であっても，公共の福祉による制約は受ける。

5× 誤り。判例は，職業選択の自由には，選択した職業を遂行する自由である営業の自由が含まれるとする。

正答 **1**

内閣の地位と組織

理想解答時間 **3分**　合格者正答率 **70%**

わが国の内閣の地位と組織に関する記述として，最も妥当なのはどれか。

1 憲法上，内閣総理大臣となりうる資格として挙げられているのは，衆議院議員であること，文民であることのみである。

2 内閣総理大臣は国務大臣を任命するが，この権限には，国務大臣が文民であること，及び任命する国務大臣の過半数は国会議員から選ばれなければならないこと以外に制限はない。

3 明治憲法下において，内閣は憲法上の機関であったが，実際の政治において重要な役割を果たしたわけではない。

4 国務大臣はその在任中，内閣総理大臣の同意がなければ訴追されることはないが，公訴時効は停止しない。

5 国務大臣は，内閣総理大臣が指名し，天皇が任命する。

ひっかけ問題
もある！

この問題の特徴

　内閣については，東京消防庁のみならず市役所でも出題が散見されます。出題の頻度は，国会や裁判所と比較して高いとはいえませんが，準備を怠るべきではありません。

　本問は，「ひっかけ」の選択肢があるため，正答率はそれほど上がらず，初学者で30%，受験時で70%程度であると推測できます。

選択肢の難易度

　選択肢1と5は基礎知識ですが，よく考えないと間違って正答として選んでしまう「ひっかけ」の選択肢です。正答の選択肢2は頻出知識ですが，正確に押さえていないと自信を持って選択できないと思われます。3と4はやや細かい知識です。

解説

1✕ 誤り。内閣総理大臣の資格としては，国会議員（衆議院議員に限られない）であることと，文民であることのみである。

2◎ 正しい。本肢のとおりである。

3✕ 誤り。明治憲法下においては，内閣は憲法上の機関ではなく，天皇の勅令により定められていた。

4✕ 誤り。国務大臣の在任中は内閣総理大臣の同意がなければ訴追されないとする部分は正しい。しかし，この同意がなくても訴追の権利は害されないと憲法上規定されているから，国務大臣の職を退けば訴追されることになるため，公訴時効は停止すると解されている。

5✕ 誤り。国務大臣は，内閣総理大臣が任命し，天皇が認証する。

PART III 過去問の徹底研究

正答 **2**

憲法改正

理想解答時間 **2分**　合格者正答率 **90%**

日本国憲法における憲法改正の手続に関する記述のうち，最も妥当なのはどれか。

1　憲法改正には，内閣の発議を要する。

2　憲法改正の発議を国会が行う場合，両議院で総議員の半数以上の賛成を要する。

3　憲法改正の是非を問う国民投票は，国会の定める選挙の際に併せて行うことはできない。

4　憲法改正には，国民投票における過半数の賛成を要する。

5　憲法が改正された場合，天皇は自己の名において公布を行う。

今後も出る
可能性がある

この問題の特徴

　憲法改正は，もともと重要なテーマでもありますし，また，平成19年に「日本国憲法の改正手続に関する法律」が制定されたことから，時事的な要素も加わって，今後の出題可能性は高いといえます。

　正答率は，初学者で40%，受験時で90%程度であると推測できます。

選択肢の難易度

　どの選択肢も，憲法改正について規定する憲法96条の条文の知識を問うもので，基礎的なレベルであるといえます。特にその中でも，正答の選択肢4が一番基礎的な選択肢であるともいえるでしょう。もっとも，そういった基礎的な知識を問う選択肢を本番で自信を持って選ぶことができるためには，知識の正確性が求められます。

解説

1✕　誤り。憲法改正に必要な発議は，内閣ではなく，国会が行う。

2✕　誤り。憲法改正の発議は，両議院で総議員の，過半数ではなく，3分の2以上の賛成を要する。

3✕　誤り。憲法改正の国民投票は，国会の定める選挙の際に併せて行うことができる。

4◎　正しい。本肢のとおりである。

5✕　誤り。憲法改正について国民の承認を経たときは，天皇は，自己の名ではなく，国民の名で公布を行う。

正答
4

イギリス・アメリカの政治制度

理想解答時間 **2**分　合格者正答率 **80**%

イギリスおよびアメリカの政治制度に関する記述として，最も妥当なのはどれか。

**確実に
正答したい**

1 イギリスの首相は国民による直接選挙によって選出されるのに対し，アメリカの大統領は間接選挙で選出される点で異なっている。

2 イギリスにおいて，議会の下院である庶民院が内閣に対する不信任決議をできるのと同様に，アメリカの連邦議会の下院は大統領に対する不信任決議ができる。

3 イギリスおよびアメリカの両国は，ともに法の支配の考え方を採用しており，両国の裁判所は議会制定法に対する違憲審査権を有している。

4 アメリカ大統領は議会に対する法案提出権を有しておらず，教書を送付して立法の勧告ができるにとどまるのに対し，イギリスの内閣は法案提出権を有している。

5 イギリスでは議会と内閣とが厳格に分離され，徹底した三権分立が図られているのに対し，アメリカの政治制度は議会と行政府とが密接に関わりあう制度となっている。

この問題の特徴

本問のイギリス・アメリカの政治制度は，世界各国の政治のテーマからの出題です。このテーマの中で最も出題頻度の高い国はアメリカで，次がイギリスです。世界各国の政治に限らず，国際政治の分野では，時事問題が絡むこともあり，消防の試験では出題の割合が大きいテーマといえます。

正答率は，初学者で30%，受験時で80%程度であると推測できます。

選択肢の難易度

本問は，イギリスの政治制度も一緒に問われているため，やや難しいとも思われます。特に，選択肢**1**と**3**のイギリスについての知識は，やや細かいです。しかし，**2・4・5**のアメリカの記述は，基礎知識で判断が可能です。そして，イギリスが日本の国政と同じく議院内閣制を採用していることを知っていれば，そこから推測して**4**のイギリスについても正しいと判断できるでしょう。

解説

1 × 誤り。イギリスの首相は，国王が任命する。もっとも，慣例に従い下院の第一党の党首が任命されることになる。アメリカの大統領については正しい。

2 × 誤り。アメリカの連邦議会は大統領に対する不信任決議をすることができない。イギリスの下院については正しい。

3 × 誤り。イギリスの裁判所は議会制定法に対する違憲審査権を有していない。アメリカの裁判所は違憲審査権を有している。

4 ◎ 正しい。本肢のとおりである。

5 × 誤り。イギリスとアメリカの説明が逆である。

PART III　過去問の徹底研究

正答 **4**

財政制度

理想解答時間 **2**分　合格者正答率 **70%**

わが国の財政制度に関する記述として，最も妥当なのはどれか。

不自然な選択肢を見抜け

1 なんらかの理由で年度開始までに国会の議決が得られず本予算が成立しない場合には，本予算が成立するまでの間の必要な経費の支出のために暫定予算が組まれる。

2 予算は，一般会計予算，特別会計予算，政府関係機関予算からなるが，国会の議決対象となるのは一般会計予算のみである。

3 財政法では，日本銀行引受けによる国債発行を一切認めていない。

4 財政投融資では，郵便貯金や年金積立金から義務預託された資金を原資として，特殊法人等に貸付け等が行われる。

5 地方交付税は，所得税，法人税，相続税等の国税の一定割合をその財源とし，国から地方公共団体に交付される特定財源である。

この問題の特徴

　財政制度をはじめ財政分野は，近年，集中して出題されているテーマの一つです。本問は基本的な出題となっています。とはいえ，詳細な内容を問われている箇所もあるので，学習開始時点で正答できる人は10％程度でしょう。

解答のコツ

　問題文を読んでいると，不自然に強調し，目立たせようとしているケースがあります。こうした場合，その強調に不自然さの度合いが高いほど，誤りである可能性が高いのです。

　本問では，選択肢**2**や**3**にある「のみである」や「一切」といった表現がその例です。たとえば，選択肢**3**が正しいものとして検討してみましょう。すると，だれにも国債を引き受けてもらえない状況の下では，歳出が歳入を超える予算の編成・執行が不可能，つまり地震等で甚大な被害が出た際に，政府は援助できないことになります。財政に課せられた役割を考慮すれば，

さすがにおかしいと気づくはずです。

解説

1◎ 正しい。

2× 誤り。特別会計予算と政府関係機関予算も国会の議決を要する。

3× 誤り。特別の事由がある場合，国会の議決の範囲内で認められている。

4× 誤り。平成13年度の制度改革により，郵便貯金・年金積立金の預託義務は廃止された。

5× 誤り。地方交付税の財源に相続税は含まれていない。また，地方交付税は一般財源である。

正答 **1**

日中関係

理想解答時間 ▼ 1分

合格者正答率 90%

最近の日中関係に関する次の記述のうち，妥当なのはどれか。

ニュースに
アンテナを
はれ！

1 日中韓サミットは，日本，中国，韓国の3か国が持ち回りで開催する首脳会議であり第1回が2008年に開催されたが，2018年東京で開催の第7回を最後に開かれていない。

2 2022年の訪日外客数が最も多い国・地域は韓国であり，2位が中国，3位が台湾であった。

3 2021年の日本の最大の貿易相手国は中国であり，日本の貿易総額の22.8％を占める。

4 2022年10月の外交に関する世論調査によると，日韓関係の発展を重要だと思う人の割合は，日中関係の発展を重要だと思う人の割合を上回っていた。

5 埋蔵地域が日中中間線をまたいでいるためにその開発が問題となっているガス田は，南シナ海にある。

この問題の特徴

消防官の試験において，国際関係は要注意のテーマです。国際関係の問題は，大きく2種類に分かれます。一つは，勉強して身につける知識を問う問題。もう一つが日頃からニュースにアンテナをはって身につける一般常識的な知識を問う問題です。一つの問いの中に両者が混在していることもあります。

本問は典型的な一般常識問題です。新聞やテレビなどのニュースに気をつけている人は，おそらく全員正解できるでしょう。学習開始時の正答率は70％程度と思われます。

選択肢の難易度

正答を選択できた場合でも，改めて問われると正誤を迷う選択肢ばかりです。2，3，4は日々のニュースにアンテナを張るとともにデータを確認しておきましょう。1と5は基礎知識として押さえておきましょう。

解説

1 × 誤り。第1回日中韓サミットは2008年12月に日本・太宰府で開かれたが，2019年12月中国・成都での第8回を最後に開かれていない。

2 × 誤り。1位韓国約101万人（26.4％），2位台湾約33万人，3位米国約32万人。中国は約18万人（4.9％）であった。

3 ◎ 正しい。日本の対中輸出入総額は約38.3兆円（22.8％）で1位である。貿易相手国2位はアメリカで貿易総額に占める割合は14.1％，3位は台湾で5.8％であった。

4 × 誤り。日中関係を「重要だと思う」（35.3％），「まあ重要だと思う」（38.2％）の合計（73.5％）は，日韓関係を「重要だと思う」（27.8％），「まあ重要だと思う」（40.1％）の合計（68.0％）を上回っていた。

5 × 誤り。東シナ海のガス田は白樺，楠（中国名：春暁，断橋）の埋蔵地域が日中中間線を越えて日本側海域に掛かり，また他のガス田もその可能性があるため，日本は合意のないまま行われる中国の開発行為に対し抗議を行っている。

正答 **3**

PART III 過去問の徹底研究

環境問題

理想解答時間	合格者正答率
3分	70%

いつ出題されてもおかしくない

環境問題に関する記述として，最も妥当なものはどれか。

1 2019年6月のG20大阪サミットでは，2030年までに海洋プラスチックごみによる追加的な汚染をゼロにまで削減することをめざす「大阪ブルー・オーシャン・ビジョン」が共有された。

2 2021年10〜11月に開催された国連気候変動会議（COP26）では，市場メカニズムに関する合意によりパリ協定ルールブックが完成し，また，産業革命前からの気候上昇を2度に抑える努力の追求が宣言された。

3 オゾン層が破壊され，地表に到達する有害な紫外線量が増加することを防止するため，モントリオール議定書は途上国を含めたオゾン層破壊物質の生産・消費の削減と貿易の制限等を定めている。

4 2022年11月に開催された国連気候変動会議（COP27）では，温暖化による気候災害の損失と損害が議題となり，途上国と先進国の区別なくすべての被害国を支援する基金の設立が決定された。

5 2020年度のわが国の電源構成において，化石燃料以外のエネルギー源のうち永続的に利用することができるものを利用したエネルギーである再生可能エネルギーは，発電電力量の19.8％を占めており，これはドイツやイギリスに比べて高い水準である。

この問題の特徴

環境問題は近年の公務員試験で特に頻出のテーマです。消防官試験も例外ではありません。本問は海洋汚染，地球温暖化，オゾン層破壊，生物多様性，再生可能エネルギーなど，環境問題の論点を組み合わせた典型問題です。

本問は時事的でやや細かい内容を含みますが，基礎固めができていれば正答に至ることは難しくないでしょう。

選択肢の難易度

2，4は日頃からニュースに関心を持つことが重要な問題。3，5は基本的な内容であり，正誤に悩む場合は基礎固めが必要です。1はやや細かな知識を問うものです。

解説

1× 誤り。2050年までの削減。これに先立つ関係閣僚会合で「G20海洋プラスチックごみ対策実施枠組」が合意されたが，いずれも法的拘束力を伴わない。

2× 誤り。英国グラスゴーで開催のCOP26では，パリ協定ルールブックが完成するとともに，気温上昇を1.5度未満に抑える取組みの強化を各国に求めるグラスゴー気候合意が採択された。

3◎ 正しい。1987年発効。途上国も含めて実施。規制対象物質の追加など段階的な規制強化が図られている。

4× 誤り。エジプトのシャルム・エル・シェイクで開催のCOP27では，気候変動の悪影響に伴う損失と損害について，特に脆弱な途上国を支援するための基金の設置が決定された。

5× 誤り。わが国の水力発電を含む再生エネルギー電力比率は，ドイツ（43.6％），イギリス（43.1％），フランス（23.8％）に比べて低く，米国（19.7％）と同水準。

正答 3

フランス革命

理想解答時間 | 合格者正答率
1分 | 60%

フランス革命は頻出

フランス革命に関する記述として，最も妥当なのはどれか。

1 フランスの旧制度（アンシャン＝レジーム）には3つの身分が存在した。第一身分とは貴族で，第二身分とは聖職者で，第三身分とは平民である。

2 第三身分は，国民議会を自称し，憲法が制定されるまで議会を解散しないことを誓約した。これを球戯場の誓いという。

3 フランス革命が始まると国王ルイ16世は議会と妥協を図り，トマス＝ジェファーソンによって起草されたフランス人権宣言を採択した。

4 フランス国内での状況を不利と感じた国王ルイ16世は王妃の故郷であるドイツに逃亡しようとしたが，国境近くで捕らえられた。

5 フランス国内で共和制が成立すると，国王の処刑問題を契機に，穏健派のフイヤン派と急進派のジャコバン派（山岳派）が対立した。

この問題の特徴

東京消防庁の世界史では，近代以降のヨーロッパの歴史と中国王朝史が出題されやすくなっています。特に，ヨーロッパ史では，市民革命を代表するフランス革命は東京消防庁に限らず出題頻度の高いテーマです。

出題形式は大半が「単純正誤形式」です。

選択肢の難易度

どの選択肢も誤っている箇所が明確です。その意味で難易度は低い問題です。

解答のコツ

第一～第三身分の構成メンバーは基本事項です。フランス人権宣言は1789年8月26日に採択されましたが，この起草者は3ではフランス人ではないアメリカ人のトマス＝ジェファーソンの名前が入っていますので，誤りとなります。王妃マリー＝アントワネットがオーストリアのマリア＝テレジアの娘であることも押さえておきた

い史実です。

解説

1× 誤り。フランス革命前の旧制度では，第一身分が聖職者で，第二身分が貴族となっていた。

2○ 正しい。フランスの人口の90%を占めた第三身分の平民の代表である議員は国民議会を宣言し，1789年6月に「球戯場（テニスコート）の誓い」を行った。

3× 誤り。フランス人権宣言は革命で国民軍司令官となった貴族のラ＝ファイエットが中心となって起草された。

4× 誤り。国王ルイ16世は王妃の故郷であるオーストリアに逃亡しようとしたが，東北国境近くのヴァレンヌの地で捕らえられ，失敗に終わった（ヴァレンヌ逃亡事件，1791年6月20日）。

5× 誤り。フイヤン派は立憲王政派である。1792年9月に国民公会によって王政が停止され，第一共和政が樹立されると，穏健派のジロンド派と急進派のジャコバン派が対立した。

正答
2

応仁の乱とその影響

理想解答時間 **1分**　合格者正答率 **60%**

応仁の乱とその影響に関する記述として，最も妥当なのはどれか。

教科書レベルの基本問題

1 応仁の乱は，管領家である畠山氏と斯波氏の家督相続を巡る争いが発端となって始まった。

2 幕府の実権を握ろうとしていた細川勝元と山名持豊（宗全）が，それぞれ足利義教と足利義政・義視を支援した。

3 細川側は西軍，山名側は東軍となり，守護大名たちはそれぞれ両軍に分れて戦った。

4 1485年，南山城地方で大規模な国人一揆が起こり，山城国は豊臣秀吉の天下統一が成されるまで自治的支配が実現した。

5 1488年，加賀の一向宗徒が国人と手を結び一揆を起こしたが，守護の富樫政親に敗れた。

この問題の特徴

室町時代は出題される割合が高いテーマです。応仁の乱のきっかけと，戦乱後の社会状況を正確に把握しておく必要があります。

出題形式は「単純正誤形式」です。問われている内容は応仁の乱の基本事項ですので，正誤の判断がしやすい問題です。

選択肢の難易度

選択肢はすべて高校の日本史の教科書の範囲から出題されており，基本問題です。確実に得点に結びつけることのできる問題です。

解答のコツ

選択肢の内容が史実と反対の内容や史実と違っている選択肢が**1・3・5**で見られます。応仁の乱の勃発時，東軍の総大将は細川勝元で，8代将軍，弟の足利義視，畠山政長，斯波義敏を支援していましたが，1468年に義視が義政と不和のため，西軍に迎え入れられました。

解説

1◎ 正しい。最初に管領家の畠山家，斯波家のそれぞれに家督相続争いが生じ，さらに8代将軍足利義政の継嗣問題，細川勝元と山名持豊の対立で，1467年に応仁の乱が起きた。

2✕ 誤り。細川勝元は東軍として8代将軍足利義政とその子の義尚側を支援した。山名持豊は西軍として将軍の弟足利義視を支援した。足利義教は6代将軍で赤松満祐によって殺害された人物である（1441年，嘉吉の変）。

3✕ 誤り。細川軍は東軍，山名軍は西軍である。

4✕ 誤り。豊臣秀吉の天下統一は1590年のことである。1485年の山城の国一揆は守護の畠山氏を追い出し，8年間にわたり国人による自治的な支配が実現したものである。

5✕ 誤り。1488年の加賀の一向一揆では守護の富樫政親が敗れた。

正答 **1**

世界の海流

理想解答時間 **1**分　合格者正答率 **60**%

A～Dが示す海流名の組合せとして、最も妥当なのはどれか。

A　北アメリカ大陸の東岸を北上する暖流

B　南アメリカ大陸の西岸を北上する寒流

C　日本列島の太平洋岸を北上する暖流

D　アフリカ大陸の南西岸を北上する寒流

> 海流の問題は紛らわしく間違いやすい

	A	B	C	D
1	メキシコ湾流	カリフォルニア海流	千島海流（親潮）	ペルー海流
2	メキシコ湾流	ペルー海流	日本海流（黒潮）	ベンゲラ海流
3	メキシコ湾流	ラブラドル海流	日本海流（黒潮）	ベンゲラ海流
4	カリフォルニア海流	ラブラドル海流	日本海流（黒潮）	ペルー海流
5	カリフォルニア海流	ペルー海流	千島海流（親潮）	ベンゲラ海流

この問題の特徴

　世界の地形のテーマからは2年に1度程度の割合で出題されています。海流だけでなく、河川も重要です。海流の問題は流れている場所や暖流・寒流の違いを押さえていないと紛らわしく間違えやすくなります。一度地図帳で確認しておくことが大切です。

　出題形式は「組合せ形式」や「単純正誤形式」がほとんどです。

解答のコツ

　Aが北アメリカ大陸の東とあり、カリフォルニア海流は大陸の西にある寒流で当てはまりません。Bはペルー海流が当てはまります。ラブラドル海流は北アメリカ大陸の東にある寒流です。Cは日本の太平洋側の暖流なので日本海流（黒潮）。千島海流（親潮）は太平洋岸を南下する寒流です。Dはアフリカ大陸なのでペルー海流は当てはまりません。

解説

　A：メキシコ湾流が当てはまる。北アメリカ大陸の東岸をフロリダ半島に沿って北上する大規模な暖流で、北緯45度付近で北大西洋海流へと移行する。西欧の西岸海洋性気候に影響を与えている。

　B：ペルー海流が当てはまる。南アメリカ西岸を北上する寒流で、プランクトンが豊富であるため、世界的漁場が形成されている。

　C：日本海流（黒潮）が当てはまる。日本列島の太平洋岸を北上する最大の海流で暖流。

　D：ベンゲラ海流が当てはまる。アフリカ大陸の南西岸を北上する寒流。

　よって、**2**が正答である。

正答 **2**

四字熟語

理想解答時間 **1分**　合格者正答率 **50%**

四字熟語とその意味の組合せとして，最も妥当なのはどれか。

1 換骨奪胎－生きた心地がしないほど恐れおののくこと

2 人身御供－人のために犠牲になること

3 粉骨砕身－食べるものがなくて，飢え衰えること

4 切歯扼腕－道理に合わないことを，無理やりに押し通そうとすること

5 百家争鳴－周りの人があれこれとうわさをして，わずらわしく感じること

> 普段見慣れない
> 難解な
> ものばかり

この問題の特徴

　国語では，四字熟語が出題される割合は非常に高く，それぞれの意味が問われたり，四文字の漢字が正しく用いられているかどうかが問われやすくなっています。

　出題形式はほとんどが「単純正誤形式」です。

選択肢の難易度

　本問の四字熟語はほとんどが日常会話でもあまり用いられない，見慣れないものばかりで，四字熟語の読み方自体も問題となりうるようなやや難問です。ただ四文字の漢字からその意味が連想できる点がポイントです。

解答のコツ

　2は「御供」から「犠牲」が連想されます。**1**では「換」「奪」で，自らに取り入れること，**3**では「粉」「砕」から身を削ること，**4**では「切」「扼」から歯ぎしり，腕を握りしめる様子，**5**では「争鳴」が「論争」とイメージできればよいでしょう。

解説

1× 誤り。「換骨奪胎」（かんこつだったい）は古人の詩文の作意や内容を生かしながら，独自の作品を作ること。

2◎ 正しい。「人身御供」（ひとみごくう）は人のために犠牲となること。

3× 誤り。「粉骨砕身」（ふんこつさいしん）は力の限りを尽くすこと。

4× 誤り。「切歯扼腕」（せっしやくわん）はどこに怒りをぶつけてよいかわからず，じりじりすること。

5× 誤り。「百家争鳴」（ひゃっかそうめい）は多くの学者や論客がなんの遠慮もなく自由に論争し合うこと。

正答 **2**

三角関数

理想解答時間 **3**分 ・ 合格者正答率 **70**%

AB＝5，AC＝8，面積が$10\sqrt{3}$である三角形ABCがある。この三角形におけるBCの長さはいくつか。ただし，$0° \leqq \angle BAC < 90°$とする。

公式に
代入するだけで
OK！

1 3

2 4

3 5

4 6

5 7

この問題の特徴

三角関数の余弦定理を用いた問題です。東京消防庁は他の公務員試験と異なり数学が3〜5問出題されています。ですから，ほかではあまり出題されていないこうしたテーマについても，チェックしておく必要があります。公式に代入すると解けるといったレベルですから，決して難問ではありません。

解答のコツ

まず，三角形を描いてみましょう。このくらいならそのまま公式に代入して解ける人も少なくないでしょうが，図形の問題ですから，やはり図を描きましょう。

まず，面積の公式を用いて∠BACを求めます。ただし，これは正弦（sin）ですから，これを余弦（cos）に変えて，余弦定理に進みます。このあたりの練習をしておきましょう。

解説

△ABCは右図のような三角形。

三角形の面積の公式

$$S = \frac{1}{2} AB \cdot AC \cdot \sin \angle BAC$$

より

$$10\sqrt{3} = \frac{1}{2} \times 5 \times 8 \times \sin \angle BAC$$

$$\therefore \sin \angle BAC = \frac{\sqrt{3}}{2}$$

$\sin^2 \theta + \cos^2 \theta = 1$ より

$$\cos^2 \angle BAC = 1 - \left(\frac{\sqrt{3}}{2}\right)^2$$

$$= \frac{1}{4}$$

$0° \leqq \angle BAC < 90°$ より

$$\therefore \cos \angle BAC = \frac{1}{2}$$

余弦定理

$$BC^2 = AB^2 + AC^2 - 2 \cdot AB \cdot AC \cdot \cos \angle BAC$$

より

$$BC^2 = 5^2 + 8^2 - 2 \times 5 \times 8 \times \frac{1}{2}$$

$$= 49$$

BC＞0 より

$$\therefore BC = 7$$

よって，正答は**5**である。

正答
5

積分

理想解答時間 **3**分　　合格者正答率 **70**%

放物線 $y=2-x^2$ 及び直線 $x+y=0$ で囲まれる図形の面積はいくらか。

1　$\dfrac{9}{2}$

2　$\dfrac{13}{2}$

3　$\dfrac{7}{3}$

4　5

5　6

計算ミスに
注意！

この問題の特徴

　積分を利用して面積を求める問題です。積分や微分は，公務員試験全般において決して頻出ではないのですが，注意しておきたいところです。特に，東京消防庁では押さえておく必要があります。

　この問題は，放物線と直線の交点を求める必要があり，計算力も問われます。積分の計算ミスはよくやってしまいますから，落ちついてしっかりやりましょう。

解答のコツ

　座標平面上に図示することから始めましょう。まず，グラフを書けることです。次に，交点の座標を求めます。ここで，虚数になる（因数分解ができないもの）ことは，ほとんどありません。

　ここから積分です。

　$S=\displaystyle\int_a^b \{f(x)-g(x)\}\,dx$ に代入します。
グラフは上の式から，下の式を引きます。あとは，きちんと計算していけるかどうかです。頑張りましょう。

解説

　右図のようになり，
交点を求めると

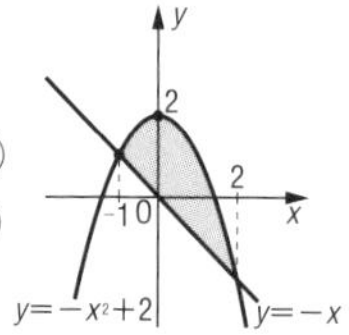

$$\begin{cases} y=-x^2+2 & \cdots\cdots① \\ y=-x & \cdots\cdots② \end{cases}$$

②を①に代入して

$-x^2+2=-x$

$x^2-x-2=0$

$(x-2)(x+1)=0$

$\quad\therefore x=2,\ -1$

面積 $S=\displaystyle\int_{-1}^{2}\{(-x^2+2)-(-x)\}\,dx$

$\quad=\displaystyle\int_{-1}^{2}(-x^2+x+2)\,dx$

$\quad=\left[-\dfrac{x^3}{3}+\dfrac{x^2}{2}+2x\right]_{-1}^{2}$

$\quad=\left(-\dfrac{2^3}{3}+\dfrac{2^2}{2}+4\right)$

$\qquad-\left(-\dfrac{(-1)^3}{3}+\dfrac{(-1)^2}{2}-2\right)$

$\quad=-\dfrac{8}{3}+2+4-\dfrac{1}{3}-\dfrac{1}{2}+2=\dfrac{9}{2}$

よって，正答は **1** である。

正答
1

直線と円

中心A（1, 2），半径2の円と，中心B（5, 5），半径4の円が2点P，Qで交わっている。このとき，直線PQと点Bとの最短距離として正しいのは，次のうちどれか。

公式を今一度確認しよう

1　$\dfrac{2\sqrt{29}}{3}$

2　$\dfrac{37}{10}$

3　$\dfrac{\sqrt{41}}{2}$

4　$\dfrac{41}{12}$

5　$\dfrac{2\sqrt{70}}{5}$

この問題の特徴

円と直線の座標平面上の問題です。これは，他の公務員試験でもよく出題されているのですが，レベルはさまざまです。

この問題は，2つの円の交点を通る直線の求め方，さらには，点と直線の距離の公式と，かなり難易度は高いものになっています。つい，あきらめてしまいがちですが，この問題を通して，円の方程式から，ポイントを1つずつ確認しておきましょう。

解答のコツ

まず，円の方程式を求めます。
基本形　$(x-a)^2+(y-b)^2=r^2$
〔中心の座標（a, b），半径rの円〕
が公式です。

次に，2円の交点を通る直線の方程式を求めます。2つの円の方程式の差で求められるのですが，ここまで学習していない人も少なくないでしょう。

そして，この直線と，点の距離を求めます。
$ax+by+c=0$と(x', y')との距離dは
$d=\dfrac{|ax'+by'+c|}{\sqrt{a^2+b^2}}$で，求められます。

解説

円A　$(x-1)^2+(y-2)^2=2^2$　…①
円B　$(x-5)^2+(y-5)^2=4^2$　…②
①－②より
$$x^2-2x+1+y^2-4y+4=4$$
$$-)\ \underline{x^2-10x+25+y^2-10y+25=16}$$
$$8x-24\ \ \ +6y-21=-12$$
直線PQの方程式は，$8x+6y-33=0$…③
③とB（5, 5）との距離をdとすると
$$d=\dfrac{|8\times5+6\times5-33|}{\sqrt{8^2+6^2}}$$
$$=\dfrac{|40+30-33|}{\sqrt{64+36}}$$
$$=\dfrac{37}{10}$$

正答 2

よって，正答は**2**である。

2次関数

理想解答時間 **3分**

合格者正答率 **65%**

2次関数は
数学で
最頻出テーマ

xがどんな実数値をとっても不等式$ax^2-2(a-1)x+8a-8 \leq 0$が成り立つとき，定数aの値の範囲として正しいのはどれか。

1 $a \leq -\dfrac{1}{7}$

2 $-\dfrac{1}{7} \leq a \leq 0$

3 $a \leq 0$

4 $0 < a \leq 1$

5 $1 \leq a$

この問題の特徴

2次関数は数学における最頻出テーマですから，まず取り組むべきです。

この問題は，どのような状況を示しているのかをまず理解する必要があります。2次不等式がxの値にかかわらず常に0以下ということは，2次関数として座標平面上に表すと，どうなるのか。

一見，単純でシンプルな問題のようですが，計算問題ではありませんから，難しいかもしれません。しっかり学習しておきましょう。

解答のコツ

$f(x)=ax^2-2(a-1)x+8a-8$ と置いて，xがどんな実数値をとっても$f(x) \leq 0$が成り立つのは，最大値が0以下となり，下図のようになるということですから，

押さえるポイントは，x^2の係数のaと，判別式です。ここをよく理解しておくことです。

解説

$$f(x)=ax^2-2(a-1)x+8a-8$$
と置く。

条件より，$f(x) \leq 0$となるには
$$a<0 \quad \cdots ①　であり，かつ，$$
判別式 $D \leq 0$ $\cdots②$でなくてはいけない。
$$D=\{-2(a-1)\}^2-4 \times a \times (8a-8) \leq 0$$
$$4(a-1)^2-32a^2+32a \leq 0$$
$$-28a^2+24a+4 \leq 0$$
$$-7a^2+6a+1 \leq 0$$
$$7a^2-6a-1 \geq 0$$
$$(7a+1)(a-1) \geq 0$$
$$\therefore \quad a \geq 1, \quad a \leq -\frac{1}{7} \cdots ②'$$

①と②' より $a \leq -\dfrac{1}{7}$

よって，正答は**1**である。

正答
1

154

指数

数学

理想解答時間 **3分** ｜ 合格者正答率 **70%**

$x^{\frac{1}{2}}+x^{-\frac{1}{2}}=3$ のとき，$x^{\frac{3}{2}}+x^{-\frac{3}{2}}$ はいくらか。

1 $\dfrac{1}{3}$

2 3

3 9

4 18

5 27

指数の性質を
理解しておこう

この問題の特徴

指数の計算は，あまり難易度の高いものは出題されてはいませんが，その性質を理解していないと難しいでしょう。

この問題は，乗法公式（3乗）を使った，対称式の問題です。指数が分数なので要注意です。計算ミスに注意しましょう。

学習を始めたばかりの人は，まず2乗の公式から押さえていくことです。

解答のコツ

$x^0=1$

$(x^a)^b=x^{a\times b}$

$x^a\times x^b=x^{a+b}$

まずこの性質を覚えておくこと。

そして，ここでは，

$x^3+y^3=(x+y)^3-3xy(x+y)$ を使います。

この形で覚えていなくとも $(x+y)^3$ を展開することで，求めることはできます。

解 説

$x^3+y^3=(x+y)^3-3xy(x+y)$ より

x に $x^{\frac{1}{2}}$，y に $x^{-\frac{1}{2}}$ を代入して

$$x^{\frac{3}{2}}+x^{-\frac{3}{2}}=(x^{\frac{1}{2}}+x^{-\frac{1}{2}})^3-3\times x^{\frac{1}{2}}\times x^{-\frac{1}{2}}$$
$$\times(x^{\frac{1}{2}}+x^{-\frac{1}{2}})$$

ここに，$x^{\frac{1}{2}}+x^{-\frac{1}{2}}=3$ を代入して

$$x^{\frac{3}{2}}+x^{-\frac{3}{2}}=3^3-3\times x^{\frac{1}{2}-\frac{1}{2}}\times3$$
$$=27-9$$
$$=18$$

よって，正答は**4**である。

PART III 過去問の徹底研究

正答 **4**

ドップラー効果

理想解答時間 **2分**

合格者正答率 **75%**

振動数440Hzの音を出しながら移動している音源がある。この音源の進行方向の前方から，音源に向かって20m/sで近づいている観測者が聞く音の振動数が495Hzであるとき，この音源の速さとして最も妥当なのはどれか。ただし，このときの音速は340m/sで無風状態とする。

東京消防庁らしいクセのある問題

1　10m/s

2　15m/s

3　20m/s

4　25m/s

5　30m/s

この問題の特徴

　この問題は，ドップラー効果の計算問題です。振動数を求める問題がよく見られますが，本問では音源の速さを求めるようになっています。公式は同じなのですが，このあたりが東京消防庁らしいクセのあるところです。

解答のコツ

　ドップラー効果の問題は，公式を覚えて，そこに数値を代入するのですが，向き（符号）を間違えずに代入してください。

　音源から観測者に向かう向きを＋（正）の方向とすると，

$$f=\frac{V-u}{V-v}\times f_0 \quad となります。$$

$$
\begin{cases}
f(Hz)：観測される振動数\\
f_0(Hz)：音源の振動数\\
V(m/s)：音速\\
u(m/s)：観測者の速度\\
v(m/s)：音源の速度
\end{cases}
$$

解説

（→正とする）

音源　$v(m/s)$　$20(m/s)$

観測者の速度が$-20(m/s)$ になることに注意。

$$495=\frac{340-(-20)}{340-v}\times440 \text{ より}$$

$$495(340-v)=360\times440$$

$$340-v=\frac{360\times440}{495}$$

$$v=340-\frac{360\times440}{495}$$

$$\therefore v=20(m/s)$$

よって，正答は**3**である。

正答 **3**

156

No.38

斜方投射

理想解答時間
3分

合格者正答率
50%

地球上の地表から仰角 θ，初速度V（m/s）で球を投射した場合の水平到達距離をLとする。このとき同じ球を月面上で仰角 θ，初速度2V（m/s）で投射した場合の水平到達距離はいくつか。ただし，月の重力は地球の6分の1とし，空気抵抗は無視する。

正答できれば差をつけられる

1 3L

2 12L

3 24L

4 48L

5 72L

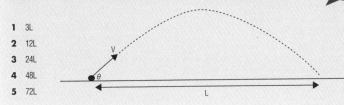

この問題の特徴

力学の中でも，加速度運動は頻出です。公式を覚えることが大切です。

この問題は，斜方投射であり，自由落下や水平投射に比べると難易度が高く，出題頻度はやや低いです。これは，初速度を水平方向と鉛直方向に分解することから始めます。あとは公式に代入しての計算です。が，月面上との比較をしている点が，ひとクセあります。

解答のコツ

斜方投射は，水平方向では等速直線運動を，鉛直方向では投げ上げと同じ運動をします。

水平方向（x軸方向）

$v_x = v_0\cos\theta$，$x = v_0 t\cos\theta$

鉛直方向（y軸方向）

$v_y = v_0\sin\theta - gt$，$y = v_0 t\sin\theta - \dfrac{1}{2}gt^2$

$\begin{bmatrix} v\text{(m/s)：速度，} & v_0\text{(m/s)：初速度，} \\ x\text{(m)，} & y\text{(m)：距離} \end{bmatrix}$

また，月面上での重力加速度は地球の6分の1ですから，$\dfrac{1}{6}g$となります。

解 説

地球上で，仰角 θ，初速度 V(m/s)では，水平方向は $V_x = V\cos\theta$ より $L = V\cdot t\cdot\cos\theta$ …①となる。また，鉛直方向の速度は

$V_y = V\sin\theta - gt$ となる。

$V_y = 0$ のとき $V\sin\theta = gt$

$t = \dfrac{V\sin\theta}{g}$ より

地面に達するまでは $t = \dfrac{2V\sin\theta}{g}$

①に代入して

$L = V \times \dfrac{2V\sin\theta}{g} \times \cos\theta$ …②

一方，月面上で，仰角 θ，初速度 $2V$(m/s)では，

水平方向は $V'_x = 2V\cos\theta$ より $L' = 2V \times t'\cos\theta$ …③

また鉛直方向の速度は $V'_y = 2V\sin\theta - \dfrac{1}{6}gt'$ より上記と同様にして月面に達するまでは

$t' = \dfrac{2 \times 12V\sin\theta}{g}$ となる。これを③に

代入して $L' = 2V \times \dfrac{24V\sin\theta}{g} \times \cos\theta$ …④

②と④を比較すると $L \times 24 = L'$ である。

よって，正答は**3**である。

正答 3

PART **III**

過去問の徹底研究

電力（直列回路）

理想解答時間 **3分**　合格者正答率 **70%**

100Vの電源につないだときの消費電力が，それぞれ40W，50W，100Wの電球がある。図のような直列回路で，110Vの電源につないだときの全消費電力はいくらか。

直列と並列の仕組みをしっかり押さえる

1　11W
2　22W
3　33W
4　44W
5　55W

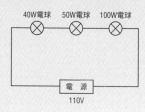

40W電球　50W電球　100W電球

電　源
110V

この問題の特徴

　電気回路，なかでも直列回路は頻出です。オームの法則，電力の公式に加え，直列と並列の仕組みをしっかり押さえておきましょう。

　この問題は，まず各電球の抵抗を求めさせるようになっており，そこに気がつかないと，公式も使えずに解けずに終わってしまいます。力学の波動でもそうでしたが，やはり電磁気においてもひとクセありますから，単に公式だけを覚えていてもいけません。しっかりと理解しながら，学習を進めていきましょう。

　力学に比べると，電気分野は比較的取り組みやすくなっています。

解答のコツ

　まず，各電球の抵抗値を求めます。公式は，電力 $P(W)$ ＝電圧 $V(V)$ ×電流 $I(A)$ と，オームの法則，電圧 $V(V)$ ＝電流 $I(A)$ ×抵抗 $R(\Omega)$ を覚えていたら大丈夫です。

　次にこの回路は直列回路ですから合成抵抗の求め方を押さえておきましょう。

　また並列についても確認しておくのが望ましいでしょう。

解説

　各電球を①，②，③とする。
　100(V)をかけたとき，40(W)を消費する電球①は，$I=\dfrac{40}{100}=0.4(A)$
$$R=\frac{100}{0.4}=250(\Omega) \quad \cdots①$$
同様にして，
　② $I=\dfrac{50}{100}=0.5(A)$
　　$R=\dfrac{100}{0.5}=200(\Omega) \quad \cdots②$
　③ $I=\dfrac{100}{100}=1.0(A)$
　　$R=\dfrac{100}{1.0}=100(\Omega) \quad \cdots③$

①，②，③が直列につないであるので合成抵抗は①＋②＋③より
　250＋200＋100＝550(Ω)
電源の電圧が110(V)より，電源を流れる電流 $I=\dfrac{110}{550}=0.2(A)$ となり
全消費電力 $P=110×0.2=22(W)$
　よって，正答は**2**である。

正答 2

燃焼

次の5種類の物質のそれぞれ同じ質量を完全燃焼させた。このとき，最も多量の酸素を消費するものとして，妥当なのはどれか。なお，原子量は，H=1.0，C=12.0，O=16.0，Mg=24.3，Fe=55.9とする。

初学者にはかなりの難問

1　メタノール（CH₃OH）

2　炭素

3　鉄

4　一酸化炭素

5　マグネシウム

この問題の特徴

物質の燃焼の化学反応です。化学反応式を作ることがポイントとなっています。加えて，物質量と質量の関係を理解しておく必要があり，難問となっています。

東京消防庁では，毎年3問化学からの出題があります。知識，計算とさまざまな要素を含んでいるので，しっかり学習しておきましょう。

解答のコツ

化学反応式を作ることから始めます。丸暗記することはやめて（不可能に近い），作り方をマスターしておきましょう。

ここでは，メタノールの化学式は明記されているので，親切といえます（書かれてないケースもありますから）。

次に，物質量を求めます。それぞれの物質が同質量というところがポイント。すなわち，分子量（原子量）が大きいほど，物質量（モル数）が小さいことになります。

化学反応式の係数比は，各物質のモル数の比であることから正答を導きます。

解説

各物質の完全燃焼したときの化学反応式を作る。

メタノール	$2CH_3OH+3O_2 \rightarrow 2CO_2+4H_2O$
炭素	$C+O_2 \rightarrow CO_2$
鉄	$4Fe+3O_2 \rightarrow 2Fe_2O_3$
一酸化炭素	$2CO+O_2 \rightarrow 2CO_2$
マグネシウム	$2Mg+O_2 \rightarrow 2MgO$

各物質の物質量は（質量1gとすると）

メタノール $\frac{1}{32}$　　炭素 $\frac{1}{12}$

鉄 $\frac{1}{55.9}$　　一酸化炭素 $\frac{1}{28}$

マグネシウム $\frac{1}{24.3}$

となり，上記の化学反応式から，各物質が消費する酸素の物質量を求めると，

メタノール $\frac{1}{32}\times\frac{3}{2}=\frac{3}{64}\fallingdotseq\frac{1}{21}$

炭素 $\frac{1}{12}$

鉄 $\frac{1}{55.9}\times\frac{3}{4}\fallingdotseq\frac{3}{224}\fallingdotseq\frac{1}{75}$

一酸化炭素 $\frac{1}{28}\times\frac{1}{2}=\frac{1}{56}$

マグネシウム $\frac{1}{24.3}\times\frac{1}{2}\fallingdotseq\frac{1}{48}$

したがって，炭素が完全燃焼するときが最も多量の酸素を消費するため，正答は**2**である。

正答 2

化学

気体の状態方程式

理想解答時間 | 合格者正答率
1分 | 90%

32℃，1atmにおいて，ある気体10gの体積は5ℓであった。この気体の分子量として，妥当なのはどれか。なお，気体定数は0.082とする。

1 2

2 50

3 55

4 120

5 250

確実に正答したい問題

この問題の特徴

　気体の状態方程式の問題で，公式に代入するだけの基本的なものです。気体の性質，化学理論など，気体にまつわるものは頻出であるので，これにとどまることなく対策しておきましょう。

　この問題は，東京消防庁としてはストレートな内容であり，確実に正解したいものです。計算問題は比較的シンプルで，初学者でも解けるでしょう。

解答のコツ

　この問題の場合，コツというほどのものはなく，公式に数値を代入して計算するのみです。

　圧力 P(atm)，体積 V(ℓ)，質量 w(g)，分子量 M，気体定数 $R=0.082$，絶対温度 T(K)$=273+t$(℃)　より

$$PV=\frac{w}{M}\cdot R\cdot T$$

解説

$P=1$，$V=5$，$w=10$
$R=0.082$，$T=273+32=305$

を，$PV=\dfrac{w}{M}\cdot R\cdot T$に代入する。

$$1\times5=\frac{10}{M}\times0.082\times305$$

$$M=\frac{10\times0.082\times305}{5}$$

$$M=50.02$$

よって，正答は**2**である。

正答
2

ハロゲン

理想解答時間 **2分**　合格者正答率 **90%**

ハロゲンとその化合物に関する記述として，妥当なのはどれか。

1 ハロゲンの原子は価電子を7個持ち，1価の陰イオンになりやすい。金属元素とは共有結合により分子をつくり，非金属元素とはイオン結合により塩をつくる。

2 ハロゲンは二原子分子の単体をつくり，有色，有毒で，また，融点・沸点は原子番号が大きいほど高い。

3 ハロゲンの単体には酸化力があり，その強さはフッ素が一番弱く，原子番号が小さくなるほど酸化力は弱い。

4 ハロゲン化水素は，すべて無色・無臭の気体であり，室温では水によく溶け，水溶液は強い酸性を示す。

5 ハロゲン化物イオンを含む水溶液に，硝酸銀水溶液を加えると，すべて水に溶ける。

試験に頻出の 物質を 要チェック

この問題の特徴

　周期表からの出題は，なかでもハロゲンの出題頻度が高いです。特にハロゲンの場合，その特徴だけにとどまらず，各物質の性質について詳しく覚えておく必要があります。これは，他の公務員試験においてもいえます。無機化合物，有機化合物ともに，問題として取り上げられる物質は，公務員試験の場合明らかに傾向があるので，頻出の物質を中心に覚えていくことがポイントです。

　この問題は，初学者には少し難しいと思われますが，確実にマスターしておきましょう。

選択肢の難易度

　選択肢**1・4**は比較的誤りがわかりやすいでしょう。**5**は，沈殿物としては頻出ですが，ハロゲンの学習ではここまで触れていないでしょう。また，**2・3**のような原子番号と性質の関係は，覚えにくいところなので，ここで明暗が分かれそうです。

解説

1 ✕ 誤り。ハロゲン原子は，価電子を7個持ち，1価の陰イオンになりやすい。このため，陽イオンと静電気力によってイオン結合により分子をつくる。

2 ◎ 正しい。フッ素 F_2：淡黄色，塩素 Cl_2：黄緑色，臭素 Br_2：赤褐色，ヨウ素 I_2：黒紫色。

3 ✕ 誤り。ハロゲンの単体には酸化力があり，原子番号が小さいほど酸化力は強い。　$F_2 > Cl_2 > Br_2 > I_2$

4 ✕ 誤り。フッ化水素 HF，塩化水素 HCl，臭化水素 HBr，ヨウ化水素 HI は水によく溶け，酸性を示す気体。HF は弱酸性である。また，いずれも刺激臭を持つ。

5 ✕ 誤り。塩化水素 HCl は，硝酸銀と化合して塩化銀の白色の沈殿を生じる。

　$AgNO_3 + HCl \rightarrow AgCl + HNO_3$

　よって，正答は**2**である。

PART **III** 過去問の徹底研究

正答 **2**

交感神経

理想解答時間 **2分**　合格者正答率 **80%**

次の表は，交感神経の働きを示したものである。A～Dに入る語句の組合せとして，妥当なのはどれか。

生物でよく
出るテーマ

種類	瞳孔	心臓拍動	血圧	消化作用
交感神経	A	B	C	D

	A	B	C	D
1	拡大	促進	上昇	促進
2	縮小	抑制	下降	抑制
3	拡大	抑制	下降	抑制
4	縮小	促進	上昇	促進
5	拡大	促進	上昇	抑制

この問題の特徴

　自律神経系の交感神経と副交感神経はホルモンの働きと並び頻出です。ヒトの体に関する問題は頻出テーマが絞られるため，ポイントを押さえた学習をしておきましょう。

　この問題は，交感神経の働きのうち，4つの器官の働きを促進なのか抑制なのかを問うもので，選択肢からある程度絞っていくこともできます。

解答のコツ

　交感神経は，敵と戦ったり緊張しているときに働くのがポイント。ここを押さえて考えていけば，それぞれの器官がどのように働くかがわかってくるでしょう。

　また，選択肢を活用するのも方法です。わかりやすい器官（覚えているもの）から絞って，消去していければ，すべてを覚えていなくとも正答を出すことができます。

解 説

　自律神経は，間脳の視床下部の支配のもと，意志とは無関係に自律的に働く。交感神経と副交感神経の2種類があり，多くの器官ではその両方が分布している。

　交感神経は，その末端からノルアドレナリンが分泌され，副交感神経はアセチルコリンが分泌される。これらの働きにより，交感神経は，敵と戦ったり緊張しているときに働き，副交感神経は，交感神経の反応をやわらげ，休息するときに働く。これを拮抗作用という。

　よって，交感神経の働きは，瞳孔は拡大し（A），心臓拍動は促進（B），血圧は上昇（C），消化作用は抑制される（D）。特にDの消化作用の抑制は要注意である。

　よって，正答は**5**である。

正答

5

光合成

理想解答時間 1分 | 合格者正答率 90%

光合成と呼吸は要注意テーマ

次の語群の中で，光合成（暗反応）で働く回路の名称と細胞内の場所を選んでいる組合せとして，最も妥当なものはどれか。

語群
a．クエン酸回路　b．カルビン・ベンソン回路　c．オルニチン回路
d．ミトコンドリア（クリステ）　e．ミトコンドリア（マトリックス）
f．腎臓　g．葉緑体（グラナ）　h．葉緑体（ストロマ）

	回路名	細胞の場所
1	a	d
2	a	e
3	b	g
4	b	h
5	c	f

この問題の特徴

光合成に関する問題は，呼吸と並び頻出で，公務員試験全般に要注意です。

この問題は，光合成の4つの反応のうちの暗反応（CO_2 の固定反応）についての用語を選択するもので，基本的なレベルになっています。学習を始めたばかりの人でも正答することができるでしょう。

解答のコツ

光合成の暗反応はカルビン・ベンソン回路といいます。このことを覚えているだけで，選択肢の**1・2・5**が消されます。また，この反応が起こる細胞内の場所は葉緑体のどこかがポイントとなっています。しっかり覚えておきましょう。

解説

光合成の4つの反応系は，
①光化学反応…光エネルギーのとり込み。葉緑体のチラコイド（グラナ）で起こる。この反応が真の明反応である。
②水の分解と $NADPH_2$ の生成…水の分解による O_2 の発生と $NADPH_2$ の生成。葉緑体のチラコイド（グラナ）で起こる。
③ATP の生成反応…ADP から ATP を生成。葉緑体のチラコイド（グラナ）で起こる。
④CO_2 の固定反応…CO_2 をとり込み，糖を合成。この反応は多数の段階からなる回路反応で，カルビン・ベンソン回路と呼ばれる。葉緑体のストロマで起こる。

なお，①②③を明反応，④を暗反応と分けることもあるが，現在では，あまりこの分け方をしていない。

よって，正答は**4**である。

正答 **4**

No.45 遺伝子

教養試験 **東京消防庁**
生物

理想解答時間 **2分**　合格者正答率 **90%**

次の文章の A ～ D に当てはまる語句の組合せとして，最も妥当なのはどれか。

> **数年おきに出題されている**

DNAの遺伝情報は核内で A に転写されて細胞質に出ていく。細胞質に出た A は，タンパク質合成を行う B に付着する。一方，細胞質中にある C は，それぞれ特定のアミノ酸と結合し，これを B に運ぶ。アミノ酸は D によって互いにつながり，DNAが持つ遺伝情報に従ったアミノ酸配列をもつタンパク質が合成される。

	A	B	C	D
1	tRNA	リボソーム	mRNA	ペプチド結合
2	mRNA	リソソーム	tRNA	イオン結合
3	tRNA	ゴルジ体	rRNA	イオン結合
4	mRNA	リボソーム	tRNA	ペプチド結合
5	mRNA	ゴルジ体	rRNA	水素結合

この問題の特徴

遺伝の法則や遺伝子に関する問題は数年おきに出題されています。

この問題は，DNAによる，形質発現の仕組みを問うものであり，空欄補充の形式になっています。基本的生物用語を覚えていれば，容易に解くことができる問題なので，確実にものにしましょう。

解答のコツ

空欄のA～Dのうち，まずわかるものはどれか，そこから選択肢を利用しながら絞り込んでいくことができます（完璧に覚えていれば，ひととおり読めば解答できるでしょう）。たとえば，Dのアミノ酸の結合の名称は他の選択肢と迷うことはないでしょう。また，「転写」と「運ぶ」という言葉は「メッセンジャー」，「トランスファー」と意味が同じことで覚えておくといいでしょう。

解説

DNAの遺伝情報によってタンパク質が合成され，合成されたタンパク質をもとに，形質が発現する。その仕組みは，

①核の中で，DNAの遺伝情報が，mRNA（メッセンジャーRNA）に転写（コピー）される。

②mRNAは，細胞質へと出ていき，リボソームとくっつく。そこへ，細胞質中にあるtRNA（トランスファーRNA）がアミノ酸を運んでくる。そこで，mRNAの情報に従ってアミノ酸がペプチド結合によりポリペプチドとなり，タンパク質が合成される（翻訳）。

よって，A＝mRNA，B＝リボソーム
　　　　C＝tRNA，D＝ペプチド結合
となる。

よって，正答は**4**である。

正答 **4**

今の実力と
やるべきことがわかる！

PART Ⅳ

これで受かる？
実力判定 & 学習法 アドバイス

PART Ⅲの過去問を解き終わったら採点をして，
今の実力をしっかりと認識しましょう。
学習を始めたばかりでは良い点は取れませんが，
あまり気にする必要はありません。
それよりも，自分の得意分野・不得意分野を自覚して
対策を立てるほうが大事です。
ここでは，採点の結果から今の実力を判定し，
どの分野が弱点なのかを明らかにします。
そして，得意・不得意の内容に応じた学習法を伝授します。

教養試験(市町村)を採点してみよう!

PARTⅢで正答できた問題について，表中の欄にチェックをし，正答数を数えてみましょう。どの科目も1問につき1点になります。

問題番号	科目	正答	1回目	2回目	3回目	分野
No.1	政治	2				
No.2	政治	4				❶ 社会科学
No.3	政治	3				
No.4	経済	5				1回目 / 7
No.5	経済	5				2回目 / 7
No.6	経済	3				3回目 / 7
No.7	社会	5				173ページ
No.8	日本史	2				
No.9	日本史	3				❷ 人文科学
No.10	日本史	4				
No.11	世界史	4				1回目 / 7
No.12	世界史	1				2回目 / 7
No.13	地理	4				3回目 / 7
No.14	地理	1				174ページ
No.15	数学	4				❸ 自然科学
No.16	物理	1				
No.17	化学	5				1回目 / 6
No.18	生物	3				2回目 / 6
No.19	生物	2				3回目 / 6
No.20	地学	1				175ページ

❶ + ❷ + ❸
一般知識分野

1回目 /20

2回目 /20

3回目 /20

　採点結果を確認し，その後の勉強に活かすことが大事です。また，2回，3回と繰り返すことも重要です。繰り返すことで実力がついていることが確認できますし，1回目に正答しても2回目に間違えたのであれば，その問題については復習が必要なことがわかります。

問題番号	科目	正答	1回目	2回目	3回目	分野
No.21	文章理解	3				④ 文章理解＋資料解釈
No.22	文章理解	2				
No.23	文章理解	2				
No.24	文章理解	3				1回目 / 8
No.25	文章理解	3				2回目 / 8
No.26	文章理解	4				3回目 / 8
No.27	文章理解	2				172ページ
No.28	判断推理	2				
No.29	判断推理	3				
No.30	判断推理	5				
No.31	判断推理	2				⑤ 判断推理＋数的推理
No.32	判断推理	4				
No.33	判断推理	5				1回目 /12
No.34	数的推理	2				2回目 /12
No.35	数的推理	4				3回目 /12
No.36	数的推理	3				
No.37	数的推理	4				
No.38	数的推理	3				
No.39	数的推理	4				171ページ
No.40	資料解釈	1				※④に加算する

④＋⑤
一般知能分野

1回目 /20

2回目 /20

3回目 /20

①～⑤
総合得点

1回目 /40

2回目 /40

3回目 /40

170ページ

PART IV
実力判定＆学習法アドバイス

教養試験（東京消防庁）を採点してみよう！

PART Ⅲで正答できた問題について，表中の欄にチェックをし，正答数を数えてみましょう。どの科目も1問につき1点になります。

問題番号	科目	正答	1回目	2回目	3回目	分野
No.1	文章理解	4				
No.2	文章理解	5				
No.3	文章理解	5				※④に加算する
No.4	文章理解	5				
No.5	英語	2				※②に加算する
No.6	文章理解	2				
No.7	判断推理	2				
No.8	判断推理	1				
No.9	判断推理	3				
No.10	判断推理	4				
No.11	判断推理	4				
No.12	判断推理	3				
No.13	判断推理	3				
No.14	数的推理	3				
No.15	数的推理	3				
No.16	数的推理	4				
No.17	数的推理	3				171ページ
No.18	資料解釈	1				
No.19	資料解釈	3				※④に加算する
No.20	資料解釈	5				

4
文章理解
＋
資料解釈

1回目	/ 8
2回目	/ 8
3回目	/ 8

172ページ

5
判断推理
＋
数的推理

1回目	/11
2回目	/11
3回目	/11

4
＋
5
一般知能分野

1回目	/19
2回目	/19
3回目	/19

結 果 判 定 の 生 か し 方

採点結果を確認し，その後の勉強に活かすことが大事です。また，2回，3回と繰り返すことも重要です。繰り返すことで実力がついていることが確認できますし，1回目に正答しても2回目に間違えたのであれば，その問題については復習が必要なことがわかります。

問題番号	科目	正答	1回目	2回目	3回目	分野
No.21	政治	1				**❶** 社会科学 1回目 ／7 2回目 ／7 3回目 ／7 173ページ
No.22	政治	2				
No.23	政治	4				
No.24	政治	4				
No.25	経済	1				
No.26	社会	3				
No.27	社会	3				
No.28	世界史	2				**❷** 人文科学 1回目 ／5 2回目 ／5 3回目 ／5 174ページ
No.29	日本史	1				
No.30	地理	2				
No.31	国語	2				
No.32	数学	5				
No.33	数学	1				
No.34	数学	2				**❸** 自然科学 1回目 ／14 2回目 ／14 3回目 ／14
No.35	数学	1				
No.36	数学	4				
No.37	物理	3				
No.38	物理	3				
No.39	物理	2				
No.40	化学	2				
No.41	化学	2				
No.42	化学	2				
No.43	生物	5				
No.44	生物	4				
No.45	生物	4				175ページ

❶
＋
❷
＋
❸

一般知識分野

1回目 ／26

2回目 ／26

3回目 ／26

❶
〜
❺
総合得点

1回目 ／45

2回目 ／45

3回目 ／45

170ページ

PART IV
実力判定＆学習法アドバイス

教養試験の総合得点 診断結果発表

167・169ページの「総合得点」の結果から，あなたの今の実力と，今後とるべき対策が見えてきます。では，さっそく見てみましょう！

市町村 **30**点以上　**東京消防庁** **35**点以上

合格圏内です！　教養以外の対策も進めましょう

教養試験でこれだけ得点できれば，自信を持てます。「大卒程度警察官・消防官 新スーパー過去問ゼミ」などの問題集に取り組んで，力を維持しましょう。過去問の学習ではカバーできない時事問題対策も忘れずに。論文試験や面接で失敗しないように，それらの対策も考えていきましょう。

オススメ本
『公務員試験　速攻の時事』（毎年2月に刊行）

市町村 **24**点以上　**東京消防庁** **27**点以上

合格ラインです！　確実な得点力を身につけましょう

合格ラインには達しています。しかし，いつでも，どんな問題でも同じ得点を取れますか？　その点では安心できません。

安定的に高得点が取れるように，さらに問題演習を重ねていきましょう。苦手分野があるのならば，それを克服するために「大卒程度警察官・消防官　新スーパー過去問ゼミ」などの問題集で重点的に学習をするとよいでしょう。

オススメ本
「大卒程度警察官・消防官　新スーパー過去問ゼミ」シリーズ

市町村 **24**点未満　**東京消防庁** **27**点未満

まだまだこれから！　学習次第で実力をつけることは十分可能

このままでは合格は難しいでしょう。

しかし，学習を始めたばかりの人は，ほとんどがこのカテゴリに属しているはずです。公務員試験には知識もコツも必要なので，合格者でも最初から高得点が取れたわけではありません。

落ち込む必要はありません。次ページ以降で各分野・科目の得意・不得意を確認して，あなたに向いた学習方針を探りましょう。

① 判断推理・数的推理の学習法

教養試験の最重要科目である判断推理と数的推理について，167・168ページの「⑤判断推理＋数的推理」の結果から，今後の対策を考えましょう。

10点以上　実力十分です！　他の科目で足元をすくわれないように

判断推理・数的推理の得点力はかなりあります。あとは他の科目で得点を稼げば教養試験の合格ラインに近づきます。

ただし，理想をいえば満点が欲しいところです。「精選模試」は過去問から定番の問題をピックアップしているので，難解な問題や意地悪な問題は含まれていないからです。時間をおいて再挑戦してみましょう。

6点以上　基礎力はあります！　問題演習で得点力アップをめざそう

基礎的な問題を解く力はありますが，この点数では物足りません。

原因としては，①少しひねった問題だと対応できない，②時間がかかりすぎる，などが考えられます。どちらにしても，問題を解く筋道をパターン化して，「この問題ならこの解法！」と即座に反応できるようになることです。そのためには問題集で数多くの問題に取り組むことが有効です。

オススメ本
『大卒程度警察官・消防官　新スーパー過去問ゼミ　判断推理［改訂第3版］』
『大卒程度警察官・消防官　新スーパー過去問ゼミ　数的推理［改訂第3版］』

6点未満　基本から勉強！　コツをつかめば得点はすぐ伸びます

判断推理や数的推理は公務員試験に特有のものなので，学習を始めたばかりの人は戸惑います。まずは初学者にやさしいテキストで基本から学習しましょう。きっかけさえつかめれば得点はグングン伸びていきます。

オススメ本
『判断推理がわかる！　新・解法の玉手箱』
『数的推理がわかる！　新・解法の玉手箱』
『標準　判断推理［改訂版］』
『標準　数的推理［改訂版］』

※本文中に挙げた書籍については，巻末「公務員受験BOOKS」を参照

2 得点別に判定！ 文章理解・資料解釈の学習法

文章理解と資料解釈について，167・168ページの「④文章理解＋資料解釈」の結果から，今後の対策を考えましょう。

7 点以上 言うことなし！ あとは解答時間の短縮だけ

文章理解・資料解釈の得点力はかなりあります。ただし，解答時間はどのくらいかかりましたか？　他の科目の問題に割くべき時間を文章理解・資料解釈に使っていま

せんか？

教養試験は時間との戦いです。文章理解・資料解釈についても，より短い時間で解答することを心掛けましょう。

3 点以上 もう少し得点したい！ 地道に実力アップをめざそう

教養試験は時間が足りないので，文章理解や資料解釈のような時間がかかりそうな問題はパスしたくなります。

これに対する対策は，「この問題なら解けそうだ」と思える問題を増やすことです。文章理解や資料解釈の得点力は急激に

伸ばすことは難しいので，問題演習を重ねてコツコツと実力をつけるしかありません。

オススメ本
『大卒程度警察官・消防官　新スーパー過去問ゼミ　文章理解・資料解釈［改訂第3版］』

3 点未満 この得点では苦しい！ でも，コツをつかめば伸びしろは大きい

文章理解や資料解釈は，得点源にしやすい科目ではありません。しかし，知識を問われるわけではなく，じっくり考えれば正答することのできる科目なので半分は正答したいところです。問題集が難しいようなら，基礎的な解法を学べるテキストを見てみるのもよいでしょう。

オススメ本
『集中講義！　文章理解の過去問』
『集中講義！　資料解釈の過去問』
『文章理解　速攻の解法トレーニング』
『公務員試験　速攻の英語』（毎年2月に刊行）

③ 社会科学の学習法

社会科学について，166・169ページの「①社会科学」の結果から，今後の対策を考えましょう。

6点以上 実力十分です！ ただし時事問題の動向に注意

社会科学は時事的な内容が多く出題されるので，年度によって，出題内容が変化します。そのため，社会情勢に左右されない政治学や憲法，経済学の基礎的な理論・知識については確実に正答したいところです。

時事的な内容については，毎年の新しい話題に注意を払う必要があります。とはい

え「どこに注目すべきか」のコツをつかむのは容易ではないため，公務員試験用の時事対策本を活用するのが早道です。

オススメ本
『公務員試験　速攻の時事』（毎年2月に刊行）
『公務員試験　速攻の時事　実戦トレーニング編』（毎年2月に刊行）

3点以上 得意なのは特定科目だけ？ 全般的な得点力アップをめざそう

社会科学は「政治」「経済」「社会」などの科目で構成されますが，そのうちのどれかが苦手という人は多くいます。その場合，社会科学全体で見ると半分そこそこの得点にとどまってしまいます。

専門科目と重複する分野も含めて数多く

の問題を解くことで，社会科学全体の得点力を引き上げることが可能です。

オススメ本
『大卒程度警察官・消防官　新スーパー過去問ゼミ　社会科学 [改訂第3版]』

3点未満 専門的な用語になじめない？ 用語の意味を覚えながら学ぼう

公務員をめざす人にとって，現代の社会について問われる社会科学は，本来得意にしやすい分野です。しかし，学習を始めたばかりだと，専門的な用語に戸惑う場合もあります。テキストを用いて用語の意味を

覚えながら学習するのも，一つの選択肢です。

オススメ本
『新・光速マスター社会科学 [改訂第2版]』

PART **IV**

実力判定&学習法アドバイス

4 人文科学の学習法

人文科学について，166・169ページの「②人文科学」の結果から，今後の対策を考えましょう。

市町村 6点以上 / 東京消防庁 4点以上　実力があります！だからこそ深入りは禁物

人文科学はとても広い範囲から出題されます。たとえば世界史だけで考えても，古代から現代までとても広い範囲から出題の可能性があります。ですから，人文科学の学習は「キリがない」ともいえるのです。

ときどき，マニアックに細かく勉強している人がいますが，それでは非効率的です。「過去問模試」で高得点を取れるような人が，さらに人文科学を極めても，これ以上得点は伸びません。満点をめざしてもあまり意味はないので，他の苦手科目・分野に目を向けましょう。

市町村 3点以上 / 東京消防庁 2点以上　向上の余地あり！得点力アップをめざそう

人文科学に深入りは禁物ですが，半分程度の正答率という人は，もう少し得点力を伸ばせるでしょう。毎年どこかの試験で出題される最頻出テーマはもちろん，より長い間隔で出題されるテーマについても，問題演習の中で知識を確認しておきたいところです。

オススメ本
『大卒程度警察官・消防官　新スーパー過去問ゼミ　人文科学［改訂第3版］』

市町村 3点未満 / 東京消防庁 2点未満　明らかに苦手な人 過去問演習が難しければテキストで

高校時代に日本史，世界史，地理を選択しなかった人にとって，人文科学は難しいものです。いきなり過去問を解くことに抵抗があるならば，公務員試験の範囲に限定したテキストから始めるのも一つの方法です。

オススメ本
『新・光速マスター人文科学［改訂第2版］』

5 自然科学の学習法

得点別に判定！

自然科学について，166・169ページの「③自然科学」の結果から，今後の対策を考えましょう。

市町村 **5** 点以上　**東京消防庁** **10** 点以上

実力があります！ 他の科目・分野にも目を向けよう

公務員試験の受験生は，文系出身者が多いということもあって，自然科学に苦手意識を持つ人が多くなっています。そのため，自然科学が得意であれば他の受験生に差をつけることができます。

すでに「過去問模試」で高得点を取れるのであれば，他の受験生に対してリードを奪っているということなので，ここはむしろ他の苦手科目・分野に目を向けるほうが得策でしょう。

市町村 **2** 点以上　**東京消防庁** **5** 点以上

得点力は伸びる！ 解法のパターンを習得しよう

自然科学は，高校で数学や理科をあまり学ばなかった初学者には難しく感じられます。しかし，自然科学には特定の頻出テーマがあり，特定の知識（公式など）さえ知っていれば，パターン化された解法で解ける問題も多いのです。そのため，問題演習を繰り返していくことで得点力を上げることが可能です。

オススメ本
『大卒程度警察官・消防官　新スーパー過去問ゼミ　自然科学［改訂第3版］』

市町村 **2** 点未満　**東京消防庁** **5** 点未満

どうしても苦手な人 学びやすいテーマだけでも押さえよう

問題文を見ただけで「とても解けそうもない」と，自然科学を「捨て科目」にしてしまう人がいます。しかし，それは非常にもったいないことです。また，教養試験全体の得点を考えても，自然科学が0点では苦しくなります。

そこで，易しいテーマだけでも学習して「せめて何点か取る」ことを考えましょう。よく見れば自然科学にも学びやすいテーマがあるのです。

オススメ本
『新・光速マスター自然科学［改訂第2版］』

PART IV 実力判定＆学習法アドバイス

175

カバーデザイン　　サイクルデザイン
本文デザイン　　　サイクルデザイン
イラスト　　　　　アキワシンヤ

●本書の内容に関するお問合せについて

　本書の内容に誤りと思われるところがありましたら，まずは小社ブックスサイト
（ books.jitsumu.co.jp）中の本書ページ内にある正誤表・訂正表をご確認くださ
い。正誤表・訂正表がない場合や訂正表に該当箇所が掲載されていない場合は，書
名，発行年月日，お客様の名前・連絡先，該当箇所のページ番号と具体的な誤りの
内容・理由等をご記入のうえ，郵便，FAX，メールにてお問合せください。

〒163-8671　東京都新宿区新宿 1-1-12　　実務教育出版　第二編集部問合せ窓口
FAX：03-5369-2237　　　　　E-mail：jitsumu_2hen@jitsumu.co.jp

【ご注意】
※電話でのお問合せは，一切受け付けておりません。
※内容の正誤以外のお問合せ（詳しい解説・受験指導のご要望等）には対応できません。

2026年度版
消防官試験　早わかりブック

2024年 9 月10日　初版第 1 刷発行　　　　　　　　　　　　　　〈検印省略〉

編　者　資格試験研究会
発行者　淺井　亨

発行所　株式会社　実務教育出版
　　　　〒163-8671　東京都新宿区新宿1-1-12
　　　　☎編集　03-3355-1812　　販売　03-3355-1951
　　　　振替　00160-0-78270
組　版　明昌堂
印　刷　文化カラー印刷
製　本　東京美術紙工

[公務員受験BOOKS]

実務教育出版では、公務員試験の基礎固めから実戦演習にまで役に立つさまざまな入門書や問題集をご用意しています。

過去問を徹底分析して出題ポイントをピックアップするとともに、すばやく正確に解くためのテクニックを伝授します。あなたの学習計画に適した書籍を、ぜひご活用ください。

なお、各書籍の詳細については、弊社のブックスサイトをご覧ください。

https://www.jitsumu.co.jp

地方上級／国家総合職・一般職・専門職試験に対応した過去問演習書の決定版が、さらにパワーアップ！　最新の出題傾向に沿った問題を多数収録し、選択肢の一つひとつまで検証して正誤のポイントを解説。強化したい科目に合わせて徹底的に演習できる問題集シリーズです。

★公務員試験「新スーパー過去問ゼミ7」シリーズ

◎教養分野
資格試験研究会編●定価1980円

新スーパー過去問ゼミ7 **社会科学** [政治／経済／社会]	新スーパー過去問ゼミ7 **人文科学** [日本史／世界史／地理／思想／文学・芸術]
新スーパー過去問ゼミ7 **自然科学** [物理／化学／生物／地学／数学]	新スーパー過去問ゼミ7 **判断推理**
新スーパー過去問ゼミ7 **数的推理**	新スーパー過去問ゼミ7 **文章理解・資料解釈**

◎専門分野
資格試験研究会編●定価2090円

新スーパー過去問ゼミ7 **憲法**	新スーパー過去問ゼミ7 **行政法**
新スーパー過去問ゼミ7 **民法Ⅰ** [総則／物権／担保物権]	新スーパー過去問ゼミ7 **民法Ⅱ** [債権総論・各論／家族法]
新スーパー過去問ゼミ7 **刑法**	新スーパー過去問ゼミ7 **労働法**
新スーパー過去問ゼミ7 **政治学**	新スーパー過去問ゼミ7 **行政学**
新スーパー過去問ゼミ7 **社会学**	新スーパー過去問ゼミ7 **国際関係**
新スーパー過去問ゼミ7 **ミクロ経済学**	新スーパー過去問ゼミ7 **マクロ経済学**
新スーパー過去問ゼミ7 **財政学**	新スーパー過去問ゼミ7 **経営学**
新スーパー過去問ゼミ7 **会計学** [択一式／記述式]	新スーパー過去問ゼミ7 **教育学・心理学**

受験生の定番「新スーパー過去問ゼミ」シリーズの警察官・消防官（消防士）試験版です。大学卒業程度の警察官・消防官試験と問題のレベルが近い市役所（上級）・地方中級試験対策としても役に立ちます。

★大卒程度「警察官・消防官新スーパー過去問ゼミ」シリーズ
資格試験研究会編●定価1650円

警察官・消防官新スーパー過去問ゼミ **社会科学** [改訂第3版] [政治／経済／社会・時事]	警察官・消防官新スーパー過去問ゼミ **人文科学** [改訂第3版] [日本史／世界史／地理／思想／文学・芸術／国語]
警察官・消防官新スーパー過去問ゼミ **自然科学** [改訂第3版] [数学／物理／化学／生物／地学]	警察官・消防官新スーパー過去問ゼミ **判断推理** [改訂第3版]
警察官・消防官新スーパー過去問ゼミ **数的推理** [改訂第3版]	警察官・消防官新スーパー過去問ゼミ **文章理解・資料解釈** [改訂第3版]

一般知識分野の要点整理集のシリーズです。覚えるべき項目は、付録の「暗記用赤シート」で隠すことができるので、効率よく学習できます。「新スーパー過去問ゼミ」シリーズに準拠したテーマ構成になっているので、「スー過去」との相性もバッチリです。

★上・中級公務員試験「新・光速マスター」シリーズ
資格試験研究会編●定価1320円

新・光速マスター **社会科学** [改訂第2版] [政治／経済／社会]	新・光速マスター **人文科学** [改訂第2版] [日本史／世界史／地理／思想／文学・芸術]
新・光速マスター **自然科学** [改訂第2版] [物理／化学／生物／地学／数学]	

過去問演習を通して実戦力を養成

要点整理＋理解度チェック

近年の過去問の中から約500問（大卒警察官、大卒・高卒消防官は約350問）を精選。実力試しや試験別の出題傾向、レベル、範囲等を知るために最適の過去問＆解説集で最新の出題例も収録しています。

★公務員試験 「合格の500」シリーズ ［年度版］ ●資格試験研究会編

国家総合職 教養試験過去問500	**地方上級** 教養試験過去問500
国家総合職 専門試験過去問500	**地方上級** 専門試験過去問500
国家一般職［大卒］教養試験過去問500	**東京都・特別区**［Ⅰ類］教養・専門試験過去問500
国家一般職［大卒］専門試験過去問500	**市役所上・中級** 教養・専門試験過去問500
国家専門職［大卒］教養・専門試験過去問500	**大卒警察官** 教養試験過去問350
大卒・高卒 消防官 教養試験過去問350	

短期間で効率のよい受験対策をするために、実際の試験で問われる「必須知識」の習得と「過去問演習」の両方を20日間で終了できるよう構成した「テキスト＋演習書」の基本シリーズです。20日間の各テーマには、基礎事項確認の「理解度チェック」も付いています。

★上・中級公務員試験 「20日間で学ぶ」シリーズ

◎教養分野
資格試験研究会編●定価1430円

20日間で学ぶ **政治・経済の基礎** ［改訂版］	20日間で学ぶ **日本史・世界史**［文学・芸術］の基礎 ［改訂版］
20日間で学ぶ **物理・化学**［数学］の基礎 ［改訂版］	20日間で学ぶ **生物・地学の基礎** ［改訂版］

◎専門分野
資格試験研究会編●定価1540円

20日間で学ぶ **憲法の基礎** ［改訂版］ 長尾一紘 編著	20日間で学ぶ **国際関係の基礎** ［改訂版］ 高瀬淳一 編著

国家一般職［大卒］・総合職、地方上級などの技術系区分に対応。「技術系スーパー過去問ゼミ」は頻出テーマ別の構成で、問題・解説に加えてポイント整理もあり体系的理解が深まります。「技術系〈最新〉過去問」は近年の問題をNo.順に全問掲載し、すべてに詳しい解説を付けています。

★上・中級公務員「技術系スーパー過去問ゼミ」シリーズ

技術系スーパー過去問ゼミ **工学に関する基礎**（数学／物理） 資格試験研究会編 丸山大介執筆●定価3300円	技術系新スーパー過去問ゼミ **土木** 資格試験研究会編 丸山大介執筆●定価3300円
技術系新スーパー過去問ゼミ **化学** 資格試験研究会編●定価3300円	技術系スーパー過去問ゼミ **電気・電子・情報** 資格試験研究会編●定価3080円
技術系新スーパー過去問ゼミ **機械** 資格試験研究会編 土井正好執筆●定価3300円	技術系新スーパー過去問ゼミ **農学・農業** 資格試験研究会編●定価3300円
技術系スーパー過去問ゼミ **土木**［補習編］ 資格試験研究会編 丸山大介執筆●定価2970円	

★技術系〈最新〉過去問シリーズ ［隔年発行］

技術系〈最新〉過去問 **工学に関する基礎**（数学／物理） 資格試験研究会編	技術系〈最新〉過去問 **土木** 資格試験研究会編

年度版の書籍については、当社ホームページで価格をご確認ください。https://www.jitsumu.co.jp/

［受験ジャーナル］

受験ジャーナルは、日本で唯一の公務員試験情報誌です。各試験の分析や最新の採用情報、合格体験記、実力を試す基礎力チェック問題など、合格に不可欠な情報をお届けします。年間の発行計画は下表のとおりです（令和6年5月現在）。

定期号	発売予定日	特 集 等
7年度試験対応 **vol.1**	令和6年10月1日 発売予定	特集1：若手職員座談会 特集2：判断推理・数的推理を得意にする方法 特集3：合格への必勝レシピ 徹底分析：国家総合職，東京都，特別区
7年度試験対応 **vol.2**	令和6年11月1日 発売予定	特集1：SPI&SCOA攻略法 特集2：論文・面接にも役立つ　行政課題の最前線 地方上級データバンク①：東日本 徹底分析：国家一般職
7年度試験対応 **vol.3**	令和7年1月1日 発売予定	特集1：残り半年からの合格メソッド 特集2：面接必勝キーワード10 地方上級データバンク②：西日本 徹底分析：国家専門職，裁判所
7年度試験対応 **vol.4**	令和7年2月1日 発売予定	特集：地方上級 暗記カード：教養
7年度試験対応 **vol.5**	令和7年3月1日 発売予定	特集1：時事予想問題 特集2：論文対策 特集3：合格体験記に学ぶ 暗記カード：専門
7年度試験対応 **vol.6**	令和7年4月1日 発売予定	巻頭企画：直前期にやること・やめること 特集：市役所

特別企画	発売予定	内 容 等
特別企画① **学習スタートブック** **7年度試験対応**	令和6年6月上旬 発売	●合格体験記から学ぼう　　●公務員試験Q&A ●学習プラン&体験記 ●教養試験・専門試験 合格勉強法&オススメ本 ●論文&面接試験の基礎知識　●国家公務員・地方公務員試験ガイダンス
特別企画② **公務員の仕事入門ブック** **7年度試験対応**	令和6年7月中旬 発売予定	●見たい! 知りたい! 公務員の仕事場訪問 ●国家公務員の仕事ガイド ●地方公務員の仕事ガイド ●スペシャリストの仕事ガイド
特別企画③ **7年度** **直前対策ブック**	令和7年2月中旬 発売予定	●直前期の攻略ポイント　●丸ごと覚える 最重要定番データ ●最新白書 早わかり解説&要点チェック ●新法・改正法 法律時事ニュース ●教養試験・専門試験の「出る文」チェック　等
特別企画④ **7年度** **面接完全攻略ブック**	令和7年3月中旬 発売予定	●個別面接シミュレーション　　●面接対策直前講義　●面接カードのまとめ方 ●合格者の面接再現&体験記　●個別面接データバンク ●集団討論・グループワーク　●官庁訪問 ●［書き込み式］定番質問回答シート
特別企画⑤ **7年度** **直前予想問題**	令和7年3月下旬 発売予定	●地方上級 教養試験 予想問題 ●市役所 教養試験 予想問題 ●地方上級 専門試験 予想問題 ●市役所 専門試験 予想問題

別 冊	発売予定	内 容 等
7年度 **国立大学法人等職員** **採用試験攻略ブック**	令和6年12月上旬 発売予定	●「これが私の仕事です」 ●こんな試験が行われる! ●過去問を解いてみよう! ●7年度予想問題

[公務員受験BOOKS]

高卒程度・社会人試験向け

実務教育出版では、高校卒業程度の公務員試験、社会人試験向けのラインナップも充実させています。あなたの学習計画に適した書籍を、ぜひご活用ください。

人気試験の入門書

何から始めたらよいのかわからない人でも、どんな試験が行われるのか、どんな問題が出るのか、どんな学習が有効なのかが1冊でわかる入門ガイドです。

★「公務員試験早わかりブック」シリーズ [年度版] ●資格試験研究会編

高校卒で受けられる**公務員試験**早わかりブック
[国家一般職（高卒）・地方初級・市役所初級等][非年度版]

社会人が受けられる**公務員試験**早わかりブック

職務基礎力試験 BEST 早わかり予想問題集

地方公務員 寺本康之の超約ゼミ [高卒・社会人試験] 過去問題集

過去問演習で実力アップ

近年の出題傾向を徹底的に分析し、よく出る問題を厳選した過去問演習シリーズ。国家一般職［高卒・社会人］・地方初級を中心に高卒程度警察官・消防官などの初級公務員試験に対応しています。

★[高卒程度・社会人] 初級スーパー過去問ゼミ シリーズ 資格試験研究会編●定価1650円

初級スーパー過去問ゼミ **社会科学** [政治／経済／社会]	初級スーパー過去問ゼミ **人文科学** [日本史／世界史／地理／倫理／文学・芸術／国語]
初級スーパー過去問ゼミ **自然科学** [物理／化学／生物／地学／数学]	初級スーパー過去問ゼミ **判断推理**
初級スーパー過去問ゼミ **数的推理**	初級スーパー過去問ゼミ **適性試験**
初級スーパー過去問ゼミ **文章理解・資料解釈**	

要点整理集

近年の出題傾向を徹底的に分析し、よく出るポイントを厳選してコンパクトにまとめた要点整理シリーズ。「初級スーパー過去問ゼミ」と併用して、すき間時間に知識の定着を図りましょう。

★[高卒程度・社会人] らくらく総まとめシリーズ 資格試験研究会編●定価1430円

らくらく総まとめ **社会科学** [政治／経済／社会]	らくらく総まとめ **人文科学** [日本史／世界史／地理／倫理／文学・芸術／国語]
らくらく総まとめ **自然科学** [物理／化学／生物／地学／数学]	らくらく総まとめ **判断・数的推理**
らくらく総まとめ **面接・作文**	

試験別過去問集

近年の出題傾向を示す過去問を選りすぐり、試験別に約350問を収録。全問に詳しい解説を掲載していますので、繰り返しチャレンジすることで理解度が深まります。

★公務員試験 合格の350シリーズ [年度版] ●資格試験研究会編

国家一般職[高卒・社会人] **教養試験 過去問350**	**地方初級 教養試験 過去問350**
高卒警察官 教養試験 過去問350	**大卒・高卒 消防官 教養試験 過去問350**

基本書／短期攻略本

初級公務員試験 **よくわかる判断推理** 田辺 勉著●定価1320円	初級公務員試験 **よくわかる数的推理** 田辺 勉著●定価1320円
初級公務員 **一般知識らくらくマスター** 資格試験研究会編●定価1320円	高卒程度公務員 **完全攻略問題集** [年度版] 麻生キャリアサポート監修 資格試験研究会編

★国家一般職[高卒]・地方初級 速習ワークシリーズ 資格試験研究会編●定価968円

教養試験 知識問題30日間速習ワーク	**教養試験 知能問題30日間速習ワーク**
適性試験20日間速習ワーク	

年度版の書籍については、当社ホームページで価格をご確認ください。https://www.jitsumu.co.jp/